**Alan Furmanski**

# Cómo vencí el cáncer siguiendo las leyes de la naturaleza

## Consejos para una vida sana

**Editado por Alan Furmanski**
**Promotor de la *Terapia Gerson* en Hispanoamérica**

Primera edición: Noviembre de 2009

Diseño de carátula y diagramación: Andrea Vélez

Edición: Carlos Castillo

Corrector gramatical y de estilo: Moreno-García

ISBN: 978-958-44-5981-7

Impreso por Alan Furmanski
info@opcionesnaturales.com

# Contenido

## Segunda parte

# Introducción

Escribí este libro con el fin de agradecerle a la vida y a Dios, su creador, por haber iluminado mi intelecto para liberarme de la enfermedad, pues descubrí que esta es solo mental. Cuando la mente está sana el cuerpo está sano, y viceversa. Nuestra vida es una evolución que el alma tiene que cursar en su constante batalla por liberarse del deseo. Sé, aunque no es fácil, que tengo que entender que la única realidad es el amor; todo lo demás es una ilusión en nuestra lucha con la asociación con el ego falso. Esa asociación nos hace sentir que somos lo que no somos, que queremos lo que no necesitamos, porque, en realidad, lo único que debemos entender es que Dios nos ama a todos. Con eso en mente todo es posible. El cuerpo es una herramienta para lograr evolución espiritual y, por lo tanto, debemos cuidarlo para lograr nuestro crecimiento.

Cuando decidí escribir la crónica de cómo vencí el cáncer, me pregunté cuál era el propósito de este libro. Después de muchos meses de trabajar en este proyecto, entiendo ahora que el propósito es devolverle la fe a miles de personas que la han perdido. Porque como dice el viejo refrán, "...lo último que se debe perder es la fe y la esperanza". Sin fe no hay nada. Es cierto que además de fe debe haber cambios, pues, sin ellos, es imposible despertar la conciencia que nos lleva a desarrollarla. La naturaleza es perfecta y si no entendemos y acatamos sus principios, no podremos pretender recuperar el balance de nuestros cuerpos. Como dice *Haridam*, mi maestro de yoga: "Vida sencilla y pensamiento elevado, no hay que trabajar mucho ni muy poco, no hay que comer mucho ni muy poco, no hay que dormir mucho ni muy poco". Esas son las claves de la vida.

Este trabajo es la crónica de lo que viví cuando a los 27 años fui diagnosticado con cáncer terminal. También, cuenta las lecciones más grandes que aprendí y las verdades a las que llegué, después de mucho esfuerzo y dedicación, ya que, desafortunadamente, aunque esas verdades están frente a nosotros, no las vemos, debido a que la *maya* o ilusión que nos rodea las opaca.

Los testimonios de muchas personas me ayudaron a entender que todo es posible, incluso, vencer el cáncer. Por eso, quiero dar el mío para que muchas personas se inspiren también con mi historia.

La lección más importante es que todas las respuestas están dentro de uno. El silencio es la verdadera arma para escuchar esas respuestas que tanto anhelamos.

El proceso de vencer el miedo, de lograr entender que no hay límites para lograr lo que uno quiere, no ha sido breve ni sencillo. Pero ha valido la pena; es maravilloso lograr que la conciencia despierte. Agradezco a Dios por haber puesto gente tan especial en mi camino. A mis queridos padres, Alberto y Aida, que me han dado solo amor y comprensión; a Sofía, mi esposa, por quererme y respetarme a diario y por demostrarme que la vida es mejor con una gran compañía; a mis hermanos, Alex y Daniel, por entender el proceso que he tenido que pasar; al maestro *Haridam*, por guiarme en la práctica del yoga; a Sarita, por haberme abierto los ojos a esta gran realidad, y a todos mis amigos y familiares, que tanto quiero, por ser como son y por aceptarme siempre a mí como soy. Del mismo modo, agradezco a todas las personas que me ayudaron a hacer los jugos; a los campesinos comprometidos, que siembran utilizando las prácticas de la agricultura orgánica, y a todas las demás personas que han tocado mi vida; a mis abuelitos Zita y Abi, que han sido como unos padres; a Tita y Tito, que han sido el ejemplo de amor de pareja que siempre perdurará en mi corazón. A todos ustedes, gracias por ayudarme.

Con cariño,

Alan Furmanski

Bogotá, Colombia, 2009

# Primera parte

## La vida antes del…

*"Cíñete a las leyes de la naturaleza y ellas te protegerán eternamente".*

Doctor *Max Gerson*.

*Niñez y juventud*

Crecí en un hogar en el que siempre me consintieron mucho. En especial, mi abuela materna; estaba continuamente pendiente de mí y me daba dulces y otras comidas, que me encantaban, en grandes cantidades. Me compraba los últimos juguetes y videojuegos y hacía todo lo que podía para que no me faltara nada. No puedo ignorar el amor que recibí de ella y, tampoco, el amor que siento por ella, pero, luego, aprendí una lección muy importante para mi vida, y es que si queremos tanto a alguien, debemos siempre ayudarlo a ir por el buen camino, aunque en el momento pareciera que le estamos haciendo la vida más complicada. Es por esto que debemos procurar que nuestros hijos coman vegetales y frutas, que hagan deporte, que estén sanos, que conozcan y estén en sintonía con la naturaleza para que puedan vivir bajo sus leyes y ritmos. Por más que ellos quieran comer dulces, y por más que parezca que eso los pone contentos, la verdad es que es mejor formar los buenos hábitos desde la niñez, ya que estos influyen mucho en el carácter y en la salud de las personas por el resto de sus vidas.

Siempre tuve muy buen apetito y, por eso, recuerdo que me llamaron 'el gordito' durante toda mi vida de niño y adolescente. Comía todo tipo de golosinas, papas de paquete, gaseosas, etc. A pesar de esto, tuve un grupo de amigos que me quiso mucho, con el que compartí grandes momentos. Muchas veces, los gorditos son rechazados de diversas maneras, pero no fue ese mi caso. Mis amigos me invitaban a todas las actividades que hacían y fueron grandes compañeros para mí.

Como a los 15 ó 16 años, llegué al tope de mi peso: 120 kilos. Mi dieta estaba muy influenciada por la típica comida americana, a pesar de que crecí en Colombia. Viajábamos a Miami por lo menos dos meses al año, durante el verano, pues allí vivía buena parte de nuestra familia. En esas estadías era cuando más podía satisfacer mi apetito por los dulces, la comida rápida o chatarra, los refrescos llenos de azúcar y la comida embutida y enlatada. Recuerdo que me fascinaba la comida china, que era alta en grasa; el pollo de Kentucky Fried Chicken; todo tipo de pasteles y muchos otros alimentos que contribuían a que en esos largos veranos ganara todavía más peso.

En Colombia, consumía una dieta un poco más sana, pues mis padres trataban de cuidarme, ya que estaban obviamente preocupados por mi peso. Visité a muchos dietistas que trataron de ayudarme recetándome una dieta más equilibrada. A veces, lograba perder unos kilos, pero los recuperaba muy rápido. No me gustaba el ejercicio, aunque mis padres trataron de incentivarme a hacerlo, debido a que todo el tiempo me sentía cansado y perezoso por el gran peso que cargaba encima. Mi plan favorito era llegar del colegio para atacar la despensa y comerme toda la comida chatarra que había ahí, mientras veía televisión.

*Un cambio*

Alrededor de los 16 años, empecé a realizar un esfuerzo grande por perder peso. Socialmente, el estar tan gordo me afectaba mucho, pues empezaba ya la época de salir con mujeres. El cambio empezó con mi inscripción a un gimnasio, al que iba a diario a correr y hacer otros ejercicios cardiovasculares, por una hora al día. Me di cuenta muy rápido de que este ejercicio me motivaba a comer menos y a cuidar mis hábitos, ya que creaba un estado más elevado de conciencia en mí. Además, me hacía sentir mucho mejor y, así, empecé a perder peso.

Unos meses después, me inscribí en una carrera de diez kilómetros que se llevaría a cabo en la carrera séptima de Bogotá. Participé y, aunque no recuerdo en cuanto tiempo la terminé, sé que me fue muy bien. Después, corrí otra carrera en Bogotá, de una distancia de trece kilómetros, también, con buenos resultados. En menos de un año y medio había perdido más de cuarenta kilos. Me sentía y me veía muy bien en ese momento.

Fue en esta época cuando empecé a irme de fiesta en las noches y a consumir alcohol. Aunque solo era los fines de semana; entre semana, seguía en el colegio y mis padres no me dejaban salir de noche; entonces, empecé a sentir el daño que esta sustancia hacía en mi cuerpo. Algunas veces, el alcohol me impedía hacer ejercicio los fines de semana y, además, me alteraba el apetito. Comía en grandes cantidades después de una noche de fiesta, y me sentía mal. Muchos años después, descubrí que todas las personas que desarrollan una adicción al azúcar durante su niñez, están en riesgo de desarrollar alcoholismo, ya que el alcohol es pura azúcar. Por eso, es tan grave que en cada esquina del mundo estén distribuyendo dulces y creando más dependientes de esta substancia tan venenosa que, por otra parte, contribuye al problema social que es el alcoholismo.

### *La universidad*

Me gradué del colegio Nueva Granada de Bogotá, en junio de 1997. Es una escuela americana en Bogotá, Colombia. Me aceptaron en la American University en Washington, DC, donde empecé mis estudios de economía en el otoño de ese mismo año. Con el exceso de vida social que trae la Universidad, empecé a hacer menos ejercicio.

Allá, me fui a vivir solo. Fui muy buen estudiante durante los cuatro años que estuve en ese centro académico, pero, también, me la pasaba de fiesta.

Salía por lo menos cuatro o cinco noches a la semana y consumía bastante alcohol. Poco a poco, caí en peores y peores hábitos alimenticios, y de vida, en general. Empecé a fumar cigarrillos, primero, solo en las fiestas; después, todos los días.

Después de salir de las fiestas, a las tres de la mañana, pedía comida a domicilio. Obviamente, esta comida incluía pizza, sándwiches grasientos y otras comidas chatarra que vendían a los estudiantes, muchos de los cuales habían tenido una buena noche de rumba.

De manera pausada, volví a engordar. Nunca a los níveles que había alcanzado a los 15 ó 16 años, pero sí había aumentado veinte kilos en un par de años. Me sentía deprimido; estaba agotando mi cuerpo sin darme cuenta. No temía caer enfermo, pero sabía que esos hábitos no eran buenos. Cinco años más tarde, cuando fui diagnosticado con melanoma y empecé a leer más y más literatura sobre el tema, no me sorprendí, entendí que el cáncer es causado justamente por estos terribles hábitos. Hay comidas que causan cáncer y, por supuesto, yo estaba ingiriendo muchas de ellas.

*Retrospectiva*

Repetidas veces, oímos que las enfermedades son originadas por tal o tal cosa. De la misma manera, escuchamos constantemente que las enfermedades son hereditarias. Sabemos de familiares o amigos que dicen sufrir de diabetes al igual que sus abuelos, padres o hermanos. En realidad, las enfermedades del cuerpo las buscamos y las creamos nosotros mismos con nuestras decisiones. Sin lugar a dudas, ese pobre estilo de vida que adopté por tantos años contribuyó enormemente a crear la enfermedad en mi cuerpo y en mi mente.

No es posible sentirse mental, física y espiritualmente bien, cuando uno abusa de su cuerpo. El cuerpo es una herramienta perfecta que tenemos para alcanzar grandes cosas, por lo tanto, debemos darle la energía que necesita para crear esos grandes sueños e ideas sobre las que pensamos y meditamos.

Pienso ahora que tuve ese estilo de vida y llegué a tal grado de enfermedad, porque una fuerza suprema, que para mí es Dios, necesitaba que llegara a ese punto para que pudiera darme cuenta del error, no solo para que cambiara mis hábitos, sino para que inspirara a otros a hacer lo mismo. Hoy en día, muchas veces, agradezco lo que pasé para poder llegar donde estoy, aunque, también, pienso que todo hubiera sido mucho más fácil si hubiera aprendido otros hábitos desde pequeño. Si hubiera llevado una dieta sana, si hubiera estado alejado del alcohol y de los vicios.

En realidad, no puedo juzgar a nadie más que a mí mismo por esto; mis padres tuvieron siempre las mejores intenciones conmigo, pero, a pesar de ello, una fuerza me llevaba a esos malos hábitos.

Por eso, invierto ahora mucho tiempo en inculcar la prevención en la gente. Este tipo de cambios que yo hice, y la gran cantidad de información que he acumulado en los últimos tres años, llevan no solo un mensaje fuerte a quienes no han sufrido de un diagnóstico terrible de cáncer u otra grave enfermedad, sino, igualmente, a las millones de personas que están encaminadas a llegar a esos dictámenes, pero que, todavía, pueden prevenirlos haciendo unos simples cambios en su estilo de vida y dieta.

Para los que, desafortunadamente, ya crearon la enfermedad en sus cuerpos, mentes y espíritu, el mensaje consiste en que siempre hay otra oportunidad. Hay que tener fe y luchar para recobrar la salud, esta es nuestro derecho; merecemos vivir vidas plenas; merecemos estar contentos todo el tiempo.

Y, ante todo, el mensaje es que nunca nos dejemos hundir por ningún diagnóstico o ninguna mala noticia o expectativa de vida que nos dé un médico. Como decía la famosa doctora Anne Wigmore: "Sea su propio doctor, tome responsabilidad absoluta por su cuerpo y mente, pues solo usted puede cambiar".

Si estamos dispuestos a cambiar, como yo estuve dispuesto a hacerlo, se puede vencer cualquier obstáculo, como van a ver en las páginas de este libro que escribí con mucho cariño.

## El diagnóstico

Era noviembre del año 2006. Estaba en México en la boda de mi amiga Samantha y, a pesar de que estaba emocionado por otra noche de fiesta, no podía ignorar ese extraño lunar que había en mi cabeza. Me tenía bastante preocupado y trataba de arrancármelo con las uñas todo el tiempo, pero no se podía quitar. En la noche de la boda, le mostré el lunar a una amiga, quien me dijo que no me preocupara, y traté de no hacerlo. Un par de vodkas después, no estaba pensando tanto en ese lunar, pero la intranquilidad me agobiaba. Como entendí más tarde, si existe la enfermedad no puede haber paz.

Al llegar a Miami al siguiente día, le mostré el lunar a la que en ese momento era mi novia y que, después, se convirtió en mi esposa: Sofía. Quedó alarmada y me dijo que debía ir a un dermatólogo de inmediato. A ella, también, le parecía extraña la apariencia del lunar. Llamé a mi mamá a Bogotá, y ella averiguó con unas amigas sobre un buen dermatólogo. Uno de los que me recomendó fue el doctor Rockley. Me comuniqué con su oficina e hice una cita para ir al día siguiente. El doctor

Rockley era un hombre flaco, con bigote, y era además un médico pragmático, estilo muy común entre los americanos. Me miró el lunar y me dijo que iba a hacer una biopsia, pero que no había motivo para preocuparse, hasta no tener los resultados de la misma. Yo estaba ya bastante preocupado, y sus palabras no lograron cambiar mi estado de ánimo. Sin embargo, pensé que si no era tan grave en su criterio, podía ser buena señal.

"¿Cuánto tiempo toma tener los resultados de la biopsia?", pregunté, y me respondió que una semana. Esperé esa semana pensando a menudo en cuáles podrían ser los resultados. Empecé a leer sobre las posibilidades peores, que eran las de cáncer de piel y, en especial, el temido melanoma. Es este el tumor más agresivo que hay; se origina en la piel y, después de salir de su localización primaria y pasar a través del sistema linfático o de la sangre a otras partes, tiende a hacer metástasis en varios órganos del cuerpo, sobre todo en el hígado, los pulmones y el cerebro. Las estadísticas del Instituto de Cáncer de los Estados Unidos decían que, en ese momento, el melanoma era el cáncer que, más rápido, estaba creciendo en los Estados Unidos, y que se manifestaba en gente joven con más frecuencia que otros tipos de cáncer.

En el 2006, hubo en Los Estados Unidos unos 48.000 casos de melanoma reportados, pero solo un 5% fueron encontrados después de haber viajado al sistema linfático. El 95% de esos melanomas eran descubiertos 'a tiempo', cuando todavía estaban concentrados en un tumor primario. Por esta razón, era alentador pensar que si fuera un melanoma lo que tenía en mi cuero cabelludo, la probabilidad de que hubiese salido de su sitio primario era baja. No obstante, esa posibilidad pequeña era muy atemorizante. Los días pasaron; después de una semana empecé a llamar a la oficina del doctor Rockley, pero los resultados no estaban listos. Entonces, empecé a perder la paciencia. Nada que me daban los resultados.

Una noche, como diez días después de la biopsia, estaba en la casa de Sofía, en el sur de Miami, cuando un número no identificado timbró a mi celular.

—Alan —dijo la voz—, soy el doctor Rockley. No tengo buenas noticias, me llegaron los resultados de la biopsia; usted tiene un melanoma. Es necesario que vaya a un especialista lo más pronto posible.

—¿Es grave, doctor? —pregunté.

—Alan, no sé, pero debe ir donde un especialista; coordinaré todo mañana para que visite a uno. Es delicado y se debe atender esto de inmediato.

Colgué el teléfono y llamé a mis padres para darles la terrible noticia.

—Ma, es un melanoma.

—¿Cómo así? —preguntó.

Mi abuelo, el cirujano cardiovascular, de 76 años, Abraham Lechter, estaba en mi casa y me pidió el número del dermatólogo para llamarlo él mismo. A los pocos minutos, se comunicó y me dijo: "Hay que operarlo, pero vas a estar bien".

Sabía por su voz que estaba muy nervioso al escuchar la noticia; por ser médico, entendía a la perfección lo que implicaba el diagnóstico. Era un melanoma en el cuero cabelludo, con una profundidad de 1.6 mm, en la escala de Breslow, y un nivel IV, en la escala de Clark. Según las páginas de internet que consulté durante toda la noche, esa medición en la escala de Breslow implicaba que era un tumor de tamaño intermedio; claro que era bastante profundo según la escala de Clark, ya que había penetrado la dermis reticular. La escala de Clark va de I a V; I la invasión limitada a la epidermis y V, invasión a la grasa subcutánea. Entre más alta la invasión, según la escala de Clark, peor el pronóstico y más penetración del tumor en las capas de la piel.

Pasé una noche terrible parándome a cada rato a leer más sobre el tema en el computador. La literatura decía que, de acuerdo al tumor que tenía, el protocolo a seguir era resecar u operar el mismo, limpiando los bordes. Además, me tendrían que hacer una biopsia del ganglio centinela, usando un procedimiento en el que revisaban el ganglio de la cadena más cercana al tumor al que las células cancerígenas hubiesen viajado primero desde el tumor primario. Es un procedimiento desarrollado por el Doctor Morton, en el John Wayne Cancer Center de Los Ángeles, y es usado desde mediados de la década de los noventa, para determinar si el tumor hizo metástasis y, de esa manera, recomendar los tratamientos a seguir. Antes de este procedimiento, se resecaba la cadena de ganglios completa o se esperaba hasta que saliera alguna metástasis. El doctor Morton convenció a la comunidad médica, por lo menos en los Estados Unidos, de que era beneficioso hacer este procedimiento, en vez de hacer la extracción completa de los ganglios de la cadena más cercana, ya que, en un alto porcentaje de los casos, no había micrometástasis en ningún ganglio. Por lo tanto, en la operación, los cirujanos pueden remover el melanoma principal y hacer la biopsia. Si sale positiva, patología que se puede hacer durante la operación, realizan la resección total, solo en los pacientes que tienen el ganglio centinela involucrado. Esto lo probó con el famoso Sun Belt Study, que mostraba beneficio para los pacientes.

Mis padres llamaron a un gran amigo, cuyo hijo había sido tratado por un cáncer testicular hacía algunos meses en el Sloan Kettering Cancer Center de la ciudad de Nueva York. Además, se comunicaron con otra amiga cuya hija había sido tratada hacía algunos años por un cáncer de tiroides, en el mismo centro hospitalario. Consideraron que era mejor ir a un centro especializado, y fue así que empezamos los contactos para asegurar una cita en este prestigioso hospital.

## Memorial Sloan Kettering

El Memorial Sloan Kettering es uno de los centros especializados más prestigiosos para el tratamiento del cáncer, en el mundo de la medicina moderna u occidental. Hospitales de todo el mundo refieren casos extraños al Sloan Kettering, y sus tratamientos están siempre a la vanguardia en el ámbito de la oncología. De todos modos, es importante destacar que, hoy en día, los tratamientos son muy similares en todas partes, pues las compañías farmacéuticas y las que venden los equipos de radioterapia han colocado sus productos (quimioterapias y otras drogas) en todo el mundo. Sin embargo, los oncólogos del Sloan Kettering son personas muy estudiadas y líderes en sus campos de especialización. Son científicos destacados que buscan vencer a esta temida enfermedad.

El Hospital cuenta con 10.000 empleados y atiende 17.000 cirugías, más de 100.000 tratamientos de radiación e implantes, además de 300.000 radiografías y procedimientos especiales al año. Y estas son solo algunas de las asombrosas estadísticas que registra. Aunque vale también la pena llamar la atención sobre los impresionantes precios para sus tratamientos, y la manera como se aseguran de no atender a un extranjero, sin antes garantizar que va a pagar la cuenta.

El Memorial Sloan Kettering está compuesto por dos instituciones íntimamente ligadas. El Memorial Hospital para cáncer y enfermedades aliadas fue fundado por John D. Rockefeller, en 1900. En sus orígenes funcionaba en un laboratorio en el campus de la Escuela de Medicina, de la Universidad de Cornell. En 1939, se construyó una sede propia y, entre los años de 1970 y 1973, un nuevo Memorial Hospital fue construido en ese mismo terreno, donado por el hijo de Rockefeller, que lleva su mismo nombre.

El instituto Sloan Kettering es el brazo científico del hospital y fue establecido en 1945 con una donación de cuatro millones de dólares hecha por la fundación de Alfred P. Sloan Jr. La mitad del regalo se usó para la construcción de un edificio de trece pisos para la investigación; la otra mitad, para cubrir los costos operacionales de la institución. Charles F. Kettering, vicepresidente y director de investigación de General Motors Corporation, tenía la visión de que este centro se encargaría de organizar y aplicar prácticas modernas de la industria americana, en la investigación del cáncer. Aparte de eso, se recolectaron entre tres y cuatro millones de dólares gracias a la contribución de la generosa familia Rockefeller.

El 8 de agosto de 1945, Sloan y Kettering hicieron un enfático anuncio público relacionado con la dramática noticia de la bomba atómica, desarrollada con un programa de investigación de más de dos billones de dólares. Pretendían hacer una ilustración gráfica de lo que se podía lograr con investigación científica organizada por la industria americana. Si se pudiera recoger tanta plata y personal calificado, como tuvo el gobierno para desarrollar la bomba atómica, se podría lograr también un gran progreso en el desarrollo de la investigación del cáncer.

Sin embargo, desde que el presidente Richard Nixon declarara la "Guerra contra el cáncer" en 1971, más de un trillón de dólares se han invertido en esta lucha, pero los avances en tratamientos y, más importante aún, las guías de los gobiernos y médicos, en la prevención de la enfermedad, siguen siendo escasos. Lo único en lo que se ha avanzado es en el diagnóstico de varios tipos de cáncer, en una etapa más temprana de la enfermedad, y eso ha mejorado las tazas de supervivencia, según las mide el gobierno de Estados Unidos (se considera sobreviviente a cualquier persona que esté viva después de cinco años de su diagnóstico inicial). Ahora bien, como la enfermedad se encuentra más temprano por los cuantiosos y costosos exámenes a los que nos sometemos los occidentales cada año, entonces, más personas se consideran 'sobrevivientes'. Y, aunque algunos estudios muestran que esto es verdad, muchas de estas personas que se someten a los tratamientos convencionales, de todos modos, fallecen por la enfermedad. Esto quiere decir que la Guerra contra el cáncer, representada por la Sociedad Americana de Cáncer o ACS (American Cancer Society), la organización sin ánimo de lucro que más dinero recoge en los Estados Unidos, no ha sido nada exitosa.

Esta organización y el resto del 'establecimiento', que hacen parte el Sloan Kettering, son los responsables de que personas como yo crean que en verdad hay tratamientos que curan el cáncer y que, cada día, estamos más cerca de encontrar esa famosa cura. Todos hemos leído en los periódicos sobre los grandes avances que se hacen en la lucha contra el cáncer, pero la triste realidad es que cuando tienes ya la enfermedad y llegas a ver al oncólogo, te das cuenta de que no hay ninguna cura y de que estamos todavía muy lejos de encontrarla. De hecho, no podemos seguir pensando que nos van a crear una cura, mientras nosotros no hacemos ningún cambio. Es inútil pensar así; esa mentalidad solo logrará que se sigan incrementando las cifras de esta enfermedad, y que continúe subiendo el gasto de salud pública de los países, lo que, de por sí, representa uno de los problemas más críticos para muchos gobiernos en todo el mundo.

Llegar al Sloan Kettering fue atemorizante, pues la palabra cáncer produce escalofríos en la piel de cualquier humano. Todos conocemos a algún familiar, amigo o compañero de trabajo que ha muerto por esta enfermedad, o por los nocivos efectos de los tratamientos de la misma. Imagínense lo que representa llegar a la Meca del tratamiento occidental contra el cáncer, para ser tratado; eso, me produjo el doble de escalofríos.

El primer médico al que vi fue al doctor Paul Chapman, oncólogo especializado en melanoma. El doctor Chapman es una eminencia y su trabajo está enfocado en encontrar tratamientos para el melanoma metastásico, es decir, el que ya viajó a otras partes del cuerpo desde su tumor primario. El doctor Chapman nos atendió en su despacho. Un señor serio, pero sensible, entró a la oficina y nos saludó de manera afectuosa a mis padres y a mí. Hizo ese chequeo y esas preguntas que hacen todos los médicos, y procedió a mirar la lesión y a leer los resultados de la biopsia; luego, me dijo: "Ojalá todos los pacientes vinieran con algo tan sencillo como lo que tiene usted. Sin embargo, debe hacer una cita con un cirujano para que le opere el tumor, y puede que se necesite realizar una biopsia del ganglio centinela".

Mi felicidad era impresionante, pues, por lo que me decía el doctor Chapman, interpreté que lo que tenía no era grave en extremo. Nos sentíamos tan alegres que fuimos con mi papá al *pub* irlandés más cercano, a tomarnos un litro de cerveza cada uno; mientras, mi mamá hacía compras en los iluminados almacenes de Manhattan que, por esos días, estaban repletos porque era plena la Navidad.

A los dos días, me atendió el cirujano Denis Kraus. A la cita me acompañaron mis padres y mi abuelo materno, el cirujano cardiovascular Abaraham Lechter. El doctor Kraus era un tipo joven y elegante. En verdad, parecía más un banquero de Wall Street que un cirujano; así, con el mismo estilo frío de un banquero de inversión, procedió a explicarnos con estadísticas todo lo que podía pasar: "Alan, hay una probabilidad del 1% de que se muera por la anestesia, durante la operación. Un 100% de chance de que le removamos todo lo que pudo quedar después de la biopsia del tumor primario, en el cuero cabelludo. Le haremos una biopsia del ganglio centinela durante la misma operación. Esto requiere abrir el cuello para sacarla. Hay un 90% de posibilidades de que no exista nada en el ganglio centinela, sin embargo, solo podremos determinarlo por la biopsia. Si hay cáncer, procederemos a resecar todos los ganglios de esa cadena durante la misma cirugía. Si esa biopsia no demuestra involucramiento del ganglio o los ganglios centinela, entonces, se hará luego una más detallada, y esta puede mostrar involucramiento. En tal caso, tendríamos que volver a operarlo, para resecar todos los ganglios, de esa cadena, en la parte derecha de su cuello. Pero esto solo ocurre en un 5% de los casos, cuando tenemos un falso negativo. Bueno, ¿alguna pregunta? Yo me voy de vacaciones y vuelvo el 2 de enero, así que tendrían que quedarse diez días en Nueva York y esperarme, o escoger a uno de mis colegas que lo pueda operar antes”.

Las estadísticas de Kraus eran tan buenas que yo no quería ver a ninguno de sus colegas; entonces, decidí esperarlo. Mi querido abuelo Abi lo miró a los ojos y le dijo:

—Diez días en Nueva York son bastante costosos, ¿no podría operarlo antes?

—Si quiere que lo haga antes, que venga a Colorado y lo opero en las montañas de Ski —bromeó Kraus.

—¿Podrá tomarse un trago de vez en cuando durante estos días? —preguntó mi padre.

—Claro que puede, y, ojalá, más de uno —respondió Kraus con simpatía.

Mi mamá no quedó muy impresionada con el doctor Kraus, debido a su frialdad, pero la decisión estaba tomada. En parte, me gustaba la idea de esperar, ya que le tenía un miedo tremendo a la cirugía y a sus resultados. Los días, entre esta cita y la operación, los pasé frente al computador, leyendo sobre el melanoma, lo cûal resultó un ejercicio que solo logró asustarme más. Si el melanoma estaba apenas en el tumor principal, las cosas serían muy buenas, pues, según las estadísticas, las probabilidades de sobrevivir a la enfermedad eran de más del 95%. Sin embargo, si ya había involucrado el ganglio centinela, sería un cáncer de estado III, y las probabilidades de sobrevivir disminuían. Los estudios variaban entre el 40 y el 70% de probabilidad de sobrevivir cinco años, si estaba involucrado. Pensar en esto era tan absolutamente aterrador, que duré diez días cagado del susto, como se dice de manera coloquial.

## La cirugía

Pasé el año nuevo con mis padres en un restaurante de Nueva York. Cada día, la cirugía estaba más cerca. Ese fue un año nuevo muy diferente a los muchos que estuve borracho en Cartagena, en los que seguía parrandeando, en alguna fiesta, hasta las diez de la mañana. Ese año nuevo pensaba pasarlo con mi hermano Alex en Punta del Este, Uruguay, pero yo tenía una pequeña cirugía que atender, así que él se fue con sus amigos de la universidad.

Al fin, llegó el día esperado. Salimos del hotel, en el que nos alojábamos, hacia el hospital. Me registré, y fui después llevado al departamento de medicina nuclear, para que me inyectaran un líquido azul, usado durante la operación, con el cual el cirujano identificaría a dónde pudieron viajar las células cancerígenas. El líquido se inyecta en el tumor primario, el curso que toma es presumiblemente el que tomarían las células si fuesen a hacer metástasis. De esta manera, el cirujano puede ahorrarse dos anestesias, vaciando los ganglios de esa cadena, si se determina que el cáncer ya viajó.

Estaba vestido con una bata del hospital, y fue muy difícil y triste para mí ver, en ese cuarto, a los pacientes de cáncer que esperaban algún tipo de tratamiento. Después, pasé a la sala de espera hasta que llegó el doctor Kraus. Al parecer, la espera de diez días no fue suficiente, pues se atrasó un par de horas. Finalmente, me llamó y me dijo: "Despídase de su familia, en un par de horas se vuelven a ver en recuperación".

Entré al cuarto de cirugía, que era un sitio iluminadísimo. Había diez personas, cada una concentrada en lo suyo. Algunos, limpiando instrumental; otros, discutiendo. Una enfermera me recibió:

—¿Usted es Alan Furmanski?

—Sí.

—¿Y qué le vamos a hacer *hoy*?

—Me van a terminar de quitar el tumor primario del cuero cabelludo y, después, realizarán una biopsia del ganglio centinela de la parte derecha del cuello —respondí.

—Muy bien, Alan, acuéstese.

Empezaron a darme los calmantes, la anestesia y, poco a poco, se me empezó a borrar el video. Recuerdo que entró el doctor Kraus, que me saludó de modo afectuoso. Después, abrí los ojos y estaba ya en recuperación. Había una enfermera muy bonita, atendiéndome en ese cuarto, lo que me llamó la atención. No me podía sacar la duda de si los ganglios de la cabeza estaban involucrados. "¿Será que tengo un 95%, un 70% o un 40% de probabilidades de vivir?", me preguntaba. "¿Será que solo me hicieron la biopsia, o será que me resecaron toda la cadena de ganglios, porque encontraron el centinela con cáncer?".

Me toqué el cuello y sentí unos puntos. Apenas vi a mis papás, me di cuenta por su mirada de que ya sabían lo qué quería preguntar. "No había nada en los ganglios", me anticiparon. Estaba feliz. Pasé a un cuarto en el que estuve dos noches. El doctor Kraus entró y me dijo:

—Los resultados de la biopsia estarán listos en dos semanas, esperemos que sean negativos. Solo el 5% de los casos se equivocan; mejor dicho, la biopsia no muestra cáncer en la operación, pero ya en frío puede salir positiva.

—Entiendo, doctor.

"No puedo estar tan de malas", pensé.

—Venga en una semana para que le quite los puntos —me dijo.

Los días transcurrieron y volví donde Kraus. Me quitó los puntos y dijo que los resultados no estaban todavía. Que la verdad, podrían tardarse unos días más, así que me podía ir y él me llamaría a Miami. Mis padres volvieron a Colombia y yo me quedé en Miami. Para ser sincero, solo estaba pendiente de la llamada de Kraus, día y noche. Recuerdo que, en una ocasión, llamé al doctor Chapman a ver qué opinaba. Me dijo que, de pronto, sería interesante evaluar si yo podía calificar para algún tratamiento experimental. La verdad, no entendía sus comentarios, ya que él me había dicho, hacia un par de semanas, que lo mío era muy sencillo y que, probablemente, no sería su paciente.

Los días pasaron, hasta que una noche, como a las ocho, me llamó Kraus.

—Alan, no tengo buenas noticias. Encontramos un pequeño nódulo en uno de los ganglios. Lo tengo que volver a operar en unas dos semanas, cuando sane la herida del cuello. Lo siento mucho.

—Doctor, no puede ser —dije—. ¿Estaré bien?

—Alan, todos los días me levanto con deseo de quitarles la enfermedad a los pacientes; eso haré contigo.

—Pero, ¿me voy a morir, doctor?

—Alan, no sé. Hasta yo me puedo morir, ahora, manejando a mi casa. Llámeme cuando quiera, si tiene alguna pregunta. Mañana, lo llamaran de mi oficina para cuadrar la segunda cirugía.

No lo podía creer, aunque sabía que algo raro debía haber pasado si se demoraban tanto en llamarme. La verdad, no sé si la demora de dieciséis días, para darme el resultado, fue normal, pero el caso es que tendría que volver a operarme y, además, ahora, ya tenía un cáncer que, por definición, era de nivel III. Llamé a mis padres para avisarles. Ellos llamaron a Kraus y, obvio, me dijeron que no era tan grave. Afortunadamente, o tal vez desafortunadamente, yo había leído mucho del tema, sabía que sí era delicado y estaba asustado de estar en manos de este sistema.

Mis padres me dieron el teléfono de un médico amigo en Bogotá, que tenía la misma especialidad de Kraus: el doctor Antonio Hakim. Èl había estudiado con Kraus en el Memorial Sloan Kettering, durante su juventud. Hakim fue muy simpático y, también, me dijo que me tranquilizara. De todos modos, me pidió que le mandara los resultados de Nueva York, para compartirlos con un colega en Australia, donde, en apariencia, han avanzado mucho en el estudio y tratamiento del melanoma, por la alta incidencia de la enfermedad en ese país.

Me sentí más tranquilo, pero seguía inquieto. Sabía que estaba en una situación delicada y tenía miedo. Estaba acostado en la cama, sin conciliar el sueño, y no tenía ganas de moverme. Para mí, no tenía sentido lo que estaba pasando, pero era la manera en que los expertos trataban la enfermedad. Necesitaba otra respuesta a este problema. Sabía que la situación requería de algo diferente, pues veía que el 'establecimiento', en realidad, no tenía todas las respuestas.

## Hippocrates Health Institute

En esos días, no paraba de llamar a mi mamá a Bogotá, pues sentía mucho miedo y necesitaba hablar con ella para sentirme más seguro. Le preguntaba si iba a estar bien. Mi mamá me dijo que porqué no llamaba a Sara Modiano, una amiga de ella que había sufrido cáncer hacia unos años y hacía una dieta 'rara', pero que parecía le funcionaba muy bien, ya que ella se veía y sentía mucho mejor ahora. Me dijo que Sara desayunaba ensaladas y comía cosas poco comunes.

Yo conocía a Sara, pues se había quedado en mi casa en Bogotá, pero, en realidad, nunca había hablado con ella más de dos palabras. La llamé en el acto. Ella me dijo que solo me podía ver después del fin de semana, pero, al escuchar el temor en mi voz, me dijo que porqué no pasaba por su casa esa tarde, que ella me iba a dar unos libros y unos consejos. Fue la primera persona que me dijo: "Tranquilo, si haces lo que te voy a decir, vas a estar bien".

No me pregunten porqué, pero le creí. Mucho más que a cualquiera de los expertos que había visto en las semanas previas. Fui a su casa y Sarita me dijo: “Alan, tú tienes que ir al Hippocrates, en West Palm Beach, y aprender a comer bien. Lo que tú tienes no se cura con medicamentos ni con tratamientos costosos, sino con una vida sana. Tienes que aprender a comer bien, a pensar bien, a estar bien y creértelo; cuando lo logres, estarás bien”.

Llamamos al centro y me dijeron que tenían disponibilidad para ese domingo, el día en que reciben pacientes nuevos. No sabía en lo que me estaba metiendo, pero el representante del centro y Sarita me daban más confianza que cualquier otra persona o documento que hubiese leído. Entonces, decidí internarme dos semanas allá, antes de mi segunda cirugía en Nueva York.

Yo era un buen deportista, había corrido dos maratones completas y varias medias, en los años previos, y tenía una inclinación a tratar de comer bien, pero la realidad era que me gustaban mucho la fiesta, el alcohol, los dulces, las proteínas animales, los aceites y otras cosas. También, era muy desordenado en las horas de comida. Mis hábitos alimenticios eran bastante malos.

El Hippocrates Health Institute es un centro que fue fundado a principios de la década de los noventa en West Palm Beach, Florida, por Brian y Ana Maria Clement. Ellos trabajaron con Anne Wigmore, que tenía un centro de atención en Boston, Massachusetts, donde llegaban personas de todos los Estados Unidos para aprender a vivir y comer sano. La doctora Anne, como la conocían sus múltiples seguidores, creía en un régimen de comida cruda. Los alimentos así tienen muchas enzimas y, además, son más nutritivos que los alimentos cocinados.

El tratamiento que recomiendan en Hippocrates, para aliviar cualquier mal que está sufriendo el cuerpo, es sencillo pero duro de seguir, pues no se pueden consumir muchas cosas a las que estamos acostumbrados. Durante dos años, recomiendan un tratamiento muy exigente y, después, permiten ciertas desviaciones de su método. Un día normal en Hippocrattes funciona así:

6 a.m. Dos onzas de jugo de germen de trigo o *wheat grass*, como es conocido en inglés. Se mete el pasto, ya germinado, en una maquina extractora que le saca el jugo.

11 a.m. Medio litro de jugo verde (germinado de girasoles, pepino cohombro, apio, etc.).

1 p.m. Almuerzo (ensalada, germinados, etc.).

4 p.m. Medio litro de jugo verde.

6 p.m. Cena (ensalada, germinados, etc.).

- La dieta es 100% vegana, es decir, nada animal, ni siquiera lácteos o huevos.
- La dieta no contiene ningún alimento cocinado, todo es crudo.
- Se hace mucho énfasis en consumir germinados, ya que tienen alto valor nutricional.
- Un día a la semana se ayuna con líquidos.
- Se debe hacer una hora de ejercicio aeróbico al día.
- Se debe ir a dormir, máximo, a las diez de la noche.
- En lo posible, se debe respirar aire puro.

- Se debe practicar colonterapia con regularidad, ya que una gran parte del sistema inmunológico está en el sistema digestivo.

Estos son solo algunos de los principios que se practican en el instituto, aunque se puede encontrar información más precisa en internet.

Durante mi estadía en este centro, leí muchos testimonios de personas que se habían curado de todos los males imaginables. Había gente que sufría de depresión, diabetes, cáncer, problemas del corazón, artritis, cansancio, entre otras enfermedades, y, siguiendo los principios del centro por largos periodos de tiempo, habían logrado recuperar su salud.

La verdad, sorprende a algunos incrédulos que esto sea posible, pero tiene todo el sentido del mundo. Al consumir una dieta 100% alcalina, orgánica y vegetariana se eliminan muchos de los tóxicos que la mayoría de nosotros consumimos a diario. Esas toxinas se acumulan a través de los años y se sitúan en los tejidos grasos del cuerpo. Nuestro sistema sanguíneo las transporta por todo el cuerpo y este pierde poco a poco su capacidad de funcionamiento, y prevalece la enfermedad. Al pasar a una dieta como la del centro, el sistema digestivo empieza a funcionar muy bien y el cuerpo, rápidamente, va eliminando la grasa y los depósitos tóxicos que tiene.

Al mismo tiempo, se suple al cuerpo de las vitaminas y los minerales que contienen los alimentos mencionados en la dieta. De modo paulatino, este va recobrando su funcionamiento normal, y la persona recupera su salud. Suena sencillo, pero la realidad es otra. La mayoría de las personas que van al Centro, solo van por dos o tres semanas. Al salir de allí, tienen que enfrentarse con muchos obstáculos, incluyendo la familia y los amigos que, de modo constante, los están influenciando para que coman y tomen lo que ellos consumen.

Como la dieta no tiene nada cocinado, nada de alcohol, cigarrillo, comidas refinadas, procesadas, enlatadas, carnes, lácteos, etc., la persona, básicamente, debe comer en su casa o con gente que siga esta filosofía de vida. Muchos ceden rápidamente, incluso, aquellos que sufren de diagnósticos muy graves, pues no logran rehacer la vida alrededor de las estrictas reglas del régimen Hippocrates.

Eso demuestra con mucha claridad cómo nuestra sociedad no busca la salud, sino la comodidad y la satisfacción inmediata. Como el tratamiento es a largo plazo, algunas personas no ven cambios significativos en pocos días y, al estar acostumbrados a ese tipo de respuesta con otros tratamientos que pueden curar los síntomas, pero no la raíz de la enfermedad, se alejan y vuelven a caer en la medicina alopática que los intoxica.

Es muy importante contar con el apoyo de la familia y tener mucha fe en estos tratamientos, para que, en realidad, funcionen bien.

Al estar en el instituto, pedí referencias de personas que habían hecho esta terapia para curarse de melanoma. Quería hablar con ellas, preguntarles cómo les había ido y si, en realidad, se habían curado. Los administradores y doctores del instituto me aseguraron que muchos se restablecieron de ese mal con el tratamiento, pero no me podían dar teléfonos, o referencias, por respeto a la privacidad.

Recuerdo las palabras que me dijo el doctor Brian Clement, director del instituto: "Tenga mucho cuidado con la palabra *cura*. Uno nunca se cura, recupera la salud; no obstante, si vuelve a caer en los hábitos que lo llevaron a la enfermedad, esta surgirá de nuevo''.

Al igual que la medicina oriental, este tratamiento se basa en la creencia de que los síntomas son solo señales de que hay enfermedad por el mal funcionamiento y desbalance del cuerpo. Al contrario de la medicina occidental, que cataloga las enfermedades por nombres, según su patología, y las trata para aliviar los síntomas particulares de cada una, esta medicina busca restablecer la armonía en el cuerpo, para que el mismo pueda encontrar ese balance.

Sin embargo, hay que ayudarlo con descanso, buena alimentación, ejercicio, etc. No podemos pensar que el cuerpo se sana solo, sin que lo ayudemos. Este tipo de medicina no cree que se pueda restablecer el funcionamiento normal, curando un cáncer y dejando una diabetes. Por ejemplo, muchos médicos alopáticos tienen pacientes que tienen las dos enfermedades, y al ser confrontados con la pregunta de si aplicar una quimioterapia no empeora los síntomas de la diabetes, muchos responden: "Sí. Empeora la diabetes, pero el cáncer es más grave".

La verdad, un cuerpo tiene que sanarse por completo; no es suficiente reprimir los síntomas, para curarse en realidad. Estos conceptos los entendí con claridad en el Centro Hippocrates.

Después de dos semanas en este Centro, retorné a Nueva York para la segunda cirugía. Esta era una operación llamada Radical Neck Dissection (Resección radical del cuello), en la que me abrirían el cuello y me sacarían todos los ganglios linfáticos del lado derecho del mismo. Al preguntar a los directores del centro Hippocrates, qué opinaban de esto, me dijeron que ellos, en particular, no creían mucho en ese tratamiento, pero no podían decidir por mí. Consideraban que si el cáncer ya estaba en los ganglios, podía estar en cualquier sitio, y no se lograría nada con sacarlos.

Lo cierto es que había aprendido mucho y creía en las posibilidades de este estilo de vida. Pero eran dos semanas de nuevos conocimientos, contra toda una vida de creer en la medicina occidental. Además, ¿cómo podía ignorar las recomendaciones del Sloan Kettering, en Occidente, el hospital más prestigioso para el tratamiento del cáncer?

## La segunda cirugía

La energía del Memorial Sloan Kettering no era precisamente para festejar. Al llegar al hospital me entrevisté con el doctor Kraus que, con su característica sequedad, fue directo al punto. Me repitió por teléfono lo de un par de semanas atrás: "Alan, desafortunadamente, encontramos unas células cancerosas en uno de los ganglios que sacamos durante el procedimiento de la biopsia del ganglio centinela, y pensamos que es mejor sacar todos los de esa cadena".

Como ya había escuchado los comentarios de los directores de Hippocrates, que se oponían a esto, entonces, me atreví a preguntar: "Doctor Kraus, ¿usted sí cree que es necesario hacer esta cirugía? Según lo que aprendí las dos semanas anteriores, si el cáncer ya pasó a ese ganglio, de todos modos, puede estar en otras partes". Él me respondió que yo era joven, que era mejor hacerlo, que, sin duda, valía la pena. Una cosa que no me dijo, de la que me enteré más adelante, investigando yo solo, era que la patología del tumor primario, que se había extirpado en la primera cirugía, mostraba metástasis en tránsito, lo que, de por sí, implica un pronóstico peor. ¿Por qué no me explicó eso? No lo sé. Seguramente, consideró que no era pertinente o que no lo podría entender por no ser médico, pero, la realidad, es que el procedimiento que me iba a realizar era uno con el que se seguían la ley, los protocolos médicos y que, además, le daba trabajo. Y, así, lo hizo.

Esa cirugía requería que permaneciera varias noches internado, pues era más radical que la primera y suponía dejar un drenaje en la herida por un par de días, lo que solo se podía hacer en el hospital. Tres años después, no recuerdo mucho de los detalles, pero sí, que duré un par de días en un cuarto muy lindo que mi padre me consiguió.

A la semana, debía volver donde el doctor Kraus para que me quitara los puntos y me diera los resultados de la patología de la segunda operación. Fueron unos días difíciles, ya que, dependiendo de cuántos ganglios encontraran con células cancerígenas, el pronóstico podría ser peor. Sin embargo, como había metástasis en tránsito, mi cáncer ya estaba en un estadio IIIC, siendo el estadio IV el más avanzado. Volví a la semana y me enteré de que el doctor estaba de viaje, así que unos jóvenes doctores, que estaban haciendo pasantías en el hospital, me quitaron los puntos y me leyeron el reporte de la biopsia; decía que ningún otro ganglio de esa cadena estaba afectado. Me habían sacado como veintiséis ganglios para darse cuenta de que ninguno tenía células cancerígenas.

El doctor me dijo que debía hacer una cita con el oncólogo especialista en melanoma, para ver qué tipo de tratamientos podían funcionar. Recuerdo que llamé al doctor Paul Chapman, en esos días, y le conté sobre los resultados de la patología. Me explicó que, en realidad, no había mucho qué hacer. Que existían vacunas experimentales en etapas prematuras y, por lo tanto, no prometían mucho por ahora. Además, tendría que quedarme en Nueva York para poder estar en la prueba. Me pidió que hiciera una cita en su oficina, para discutir más a fondo las posibilidades.

Durante todo el tiempo del tratamiento, seguí practicando la dieta Hippocrates. Recuerdo que la nutricionista del hospital vino a visitarme un día, a preguntarme porqué había perdido quince libras desde la primera cirugía. Al contarle sobre la dieta que había hecho, no se mostró muy entusiasmada ni interesada; lo anotó en una libreta, y ya.

De la comida del hospital, ni hablar. Cada comida incluía gaseosa, azucares refinadas, proteína animal, etc. Era como si existieran dos mundos totalmente diferentes: uno que promueve un estilo de vida que es capaz de prevenir y hasta curar las más graves enfermedades, usando las leyes de la naturaleza y el poder que tiene el cuerpo de encontrar su balance y armonía, si recibe las herramientas para hacerlo, y, este otro mundo, el de los hospitales, drogas y tratamientos invasivos, donde se cree únicamente en el método que se practica y en las drogas que se suministran; en el que se estimulan poco o nada los hábitos de vida y el rol fundamental que estos pueden tener en la cura de una enfermedad. Recuerdo también que el cirujano Kraus dijo que él, en particular, no sabía nada de los temas de dieta y estilo de vida para el tratamiento del cáncer. Que no se cerraba al tema, como algunos de sus colegas, pero que, en realidad, no sabía tanto como para recomendarlo. Es interesante ver cómo los hospitales modernos no promueven para nada la salud de los pacientes, son catedrales en las que se tratan enfermedades de índole biológica, de una manera mecánica, absoluta. ¿Por qué? Porque esto es lo que mantiene ese gran sistema médico.

Mi opinión es que los médicos, especialmente en los Estado Unidos, no se van a poner a decir cosas que se salgan de los parámetros legales. Las primas que pagan por sus seguros son altísimas y no quieren ser demandados, pues, si pierden una demanda, pueden perder su seguro, y, eso, acabaría con sus carreras. Por ende, así sepan que algo diferente a lo aprobado funciona, no lo van a mencionar para no tener problemas legales.

¿Qué puede pasar si un paciente se empeora porque no hizo un cambio que se le recomendó, pero afirma que sí lo hizo y, después, dice que el doctor de tal hospital fue el que lo alentó a cambiar para tratar o curar su enfermedad? Para qué correr el riesgo. Por eso, nosotros mismos nos hemos encargado de volver a los médicos como robots, que solo hacen y dicen lo que es políticamente correcto decir, pues no quieren estar en este tipo de situaciones. Eso ocurre en Estados Unidos, que es un país basado en el poder del litigio: cualquier persona demanda por cualquier cosa. Es por esto que no podemos echarles la culpa solo a los médicos de que el sistema sea así.

He escuchado dos casos interesantes que demuestran que los médicos, en el fondo, sí sienten mucha curiosidad por los tratamientos no tradicionales con dieta. Un caso me lo contó una señora que se había curado, en Canadá, de un cáncer muy agresivo, usando la terapia *Gerson*. Ella me dijo que su médico nunca quiso saber mucho sobre lo que ella había hecho para curar un cáncer, por el que le habían dado tres meses de vida, sin embargo, guardó sus datos de contacto. Un día, la llamó para pedirle información de la terapia *Gerson*, pues su hermano había sido diagnosticado con un cáncer terminal. Nunca le había recomendado este tratamiento a un paciente, pero cuando se trató de un familiar, la cosa cambió.

Es otro caso el del famoso cardiólogo Caldwell Esselstyn, que decidió tratar todos los problemas coronarios con dieta, después de muchos años de operar pacientes que sufrían del corazón. Esselstyn dice que cuando se retiró del Cleveland Clinic, una de las mecas de la cirugía, empezó una práctica en su casa para enseñarle a la gente cómo curar y reversar su enfermedad coronaria, solo con cambios en la dieta. Sin embargo, los doctores le enviaban únicamente familiares. Nunca, un doctor le recomendó un paciente.

La dieta de Esselstyn, que garantiza que quien la siga religiosamente no volverá a tener un problema coronario, es la siguiente:

- Nada de grasas, ni siquiera aceite de oliva extra virgen.
- Nada de lácteos y quesos.
- Nada de proteína animal ni carnes.
- Nada de nueces.
- Nada de aguacate ni coco.
- Nada de granos refinados.

Se pueden comer:

- Vegetales.
- Legumbres.
- Granos enteros.

- Frutas.

A pesar de su contundente éxito en el tratamiento de esta grave enfermedad, los médicos temen dejar de hacer los costosos procedimientos mecánicos.

Pero es hora de retomar mi relato. Tenía que volver donde Chapman, a ver qué me sugería para controlar mi cáncer.

## Segunda cita con el doctor Chapman

El doctor Chapman es un médico con una personalidad mucho más calurosa que la del doctor Kraus, como percibí desde la primera visita que le hice. Al vernos a mis padres y a mí nos saludó efusivamente. Solo que pensó que éramos de Israel y no de Colombia. Quién sabe porqué se confundió. Seguramente, vio a alguien parecido, en esos días, que era de Israel. Sin embargo, nos atendió muy bien y nos indicó cuáles eran nuestras opciones.

Dijo que había una muy alta probabilidad, no recuerdo qué porcentaje, de que la enfermedad recurriera por las patologías de las dos cirugías. Mi cáncer era de un estadio IIIC, donde IV es lo máximo y C, la letra más alta del nivel III. No obstante, en el melanoma no se usaba quimioterapia para prevenir la recurrencia del cáncer, como se hace en los de seno o colon. Lo que usaron por mucho tiempo los doctores, para buscar prevenir la recurrencia, es el interferón, un tipo de proteína sintética, pero él no lo recomendaba porque no veía que funcionara. El doctor Chapman dijo que el interferón era muy tóxico para los pocos beneficios que podía tener, y que tampoco se veían con claridad los beneficios.

Con respecto al interferón, quiero hacer un paréntesis acá para contar algo que reforzó mi idea de que la medicina alopática, en muchas instancias, busca el dinero y, además, está terriblemente influenciada por la industria farmacéutica. Un tiempo después, al volver a Bogotá, hablé con mi primo Jack Rotlevich. Él está dedicado a sembrar hortalizas orgánicas en Choachí, un pueblo rural en las afueras de Bogotá, y les vende principalmente a restaurantes. Jack, que es primo hermano de mi papá, perdió dos hermanos por cáncer de melanoma.

Su hermano Mark había muerto a principios de la década de los ochenta, cuando solo tenía veintiocho años. Jacky me comentó que, cuando su hermano estaba muy enfermo, salió un artículo que fue caratula de la revista *Time*, que hablaba sobre la magia del interferón y de cómo prometía volverse la cura de muchas enfermedades. Me comentó Jack que un médico suizo viajó a Colombia para ver a su hermano, a ver si el interferón podría ayudarlo. Decidieron no darle la droga, pues el médico pensó que, para una enfermedad tan avanzada, no valía la pena, ya que el costo era muy elevado. No recuerdo cuánto valía, pero eran muchos miles de dólares de esa época.

Hoy en día, el interferón es aplicado constantemente y de manera intravenosa, durante un año. Meses más tarde, en la clínica *Gerson* en Tijuana, conocí a un señor al que le habían dado interferón por un año, en el estado de Utah, y, poco después de terminar el tratamiento, la enfermedad había aparecido en su hígado. Meses después de empezar el tratamiento *Gerson*, murió.

Cierro el paréntesis y continúo con la conversación con el doctor Chapman. Me dijo que existían unas vacunas experimentales que les estaban dando a personas que tenían cierto gen, pero que estaban todavía en un punto inicial del experimento. Además, requería que viviera en Nueva York, ya que era necesario estar en el hospital cada semana, por largos periodos de tiempo.

Esta era la única esperanza que nos daba el doctor Chapman. A pesar de que de esperanzador no tenía mucho. En este momento, pensé en las cientos de veces en las que en las noticias, el periódico o alguna revista decían que estaban a punto de encontrar la cura contra el cáncer. Todas esas veces que leí titulares sobre lo cerca que se encontraban, pensé "...si me da a mí, ya existirá una cura". Pero estábamos frente a uno de los oncólogos más famosos del mundo, y él nos dijo: "Señores, la cura está muy pero muy lejos".

Hoy en día, me pregunto cómo pueden los oncólogos seguir pensando que la cura para una enfermedad biológica, que se genera durante muchos años y es causada primordialmente por hábitos alimenticios y estilos de vida, se va a poder curar de manera milagrosa, con, llámese vacuna, quimioterapia, radioterapia, cirugía, etc. La pregunta, por la cura y la prevención, no es ¿qué puede el médico hacer por mí?, sino, ¿qué puedo hacer por mí? El cáncer es el resultado de nuestros propios hábitos y de nuestras propias decisiones de vida.

La prensa sensacionalista se encarga de que pensemos que la cura está a la vuelta de la esquina, pues se publican casi a diario noticias sobre nuevas drogas que prometen mucho y, al final, no dan nada. Un ejemplo claro es el que di antes con respecto al interferón, que en el año 1980 prometía tanto y que treinta años después es rechazado por los médicos vanguardistas, que no lo usan porque saben que hace más mal que bien.

Al salir de esa cita, decidí hacerme el examen de sangre que determinaría si yo calificaba o no para el experimento de las vacunas. Era la única esperanza que me daban en Sloan. Aunque yo estaba haciendo la dieta Hippocrates, seguía con mucho miedo.

Salimos de esa cita y recuerdo las palabras de mi madre: "Cuando a uno no le ha tocado afrontar este tipo de enfermedades, piensa que determinarán qué hacer, cuando se llega al mejor hospital, pero no saben nada".

Por esos días apareció un artículo que estuvo en toda la prensa escrita y televisiva, sobre unos tratamientos de vacunas que estaba utilizando el doctor Steven Rosenberg en el National Institute of Health, en Bethesda, Maryland, muy cerca de Washington D.C. El doctor Rosenberg es un médico muy respetado, al que el gobierno de los Estados Unidos contrató en la década de los setenta para que dirigiera dicho instituto, en la búsqueda de nuevas terapias contra el cáncer. Las noticias hablaban de algunos pacientes a los que les había desaparecido la enfermedad con las vacunas de Rosenberg. Estas vacunas usaban células del mismo tumor del paciente.

Al preguntarle al doctor Chapman sobre esto, dijo que no era tan maravilloso como sonaba, que los resultados no eran en realidad tan buenos, sino que la prensa, a veces, sobredimensionaba lo que estaban tratando de decir los médicos. Solo a dos, de dieciocho pacientes, se les habían quitado algunos de los tumores. Ahora, ni siquiera sé qué pasó con ellos, puede ser que murieran a los pocos meses.

La American Cancer Society es la fundación sin ánimo de lucro más grande que hay. Invierte mucho dinero en investigar nuevas drogas y tratamientos alopáticos para tratar el cáncer. Depende de las donaciones de millones de americanos y, obviamente, utiliza a la prensa para transmitir al pueblo americano el sentimiento de que la cura está cerca. Está comprobado que eso ayuda a que más personas aporten. Todo el mundo conoce a alguien que murió de cáncer, y tiene miedo de que esta enfermedad los afecte a ellos; por eso, tanta gente dona a esta causa. La propaganda sensacionalista ayuda a que no se pierda la esperanza y la motivación por esta organización.

La realidad es que, desde que el presidente Richard Nixon declaró la Guerra contra el cáncer, en 1971, las cifras han aumentado y los tratamientos no han sido exitosos. Hoy en día, se hacen muchos más exámenes diagnósticos que ayudan a descubrir la enfermedad más temprano, pero, como no se habla de cómo prevenir que recurra o aparezca en primera instancia a mucha gente, eventualmente, le recurre o le aparece. Prueba de que los mismos médicos saben que con cirugía, quimioterapia y radioterapia van por el camino equivocado, es que si uno lee las biografías de los oncólogos más prestigiosos del Sloan Kettering, encuentra que todos dicen que están interesados en encontrar nuevos tratamientos más nobles, por el lado de la inmunoterapia y las vacunas. Buscan vacunas que puedan patentar, pues es claro que saben que con lo que hay disponible, no se está logrando nada.

Decidí volver a Bogotá y seguir el tratamiento de Hippocrates y, por el momento, no hacer nada más.

## Vuelve el cáncer después de un mes

Me encontraba en Bogotá después de más de diez años de no vivir en Colombia. Estaba muy contento de estar de vuelta y, ahora, me hallaba adaptando todo este estilo de vida vegetariana y de comidas, sin haber cocinado nunca en mi vida. Crecer el germinado de pasto para poder extraerle el jugo, hacer los jugos verdes, etc., no era fácil; esta cultura no está tan presente en Colombia. Sin embargo, estaba haciendo lo mejor que podía.

Mi madre empezó a notar unas manchas negras en mi cuero cabelludo. Esperó unos días antes de alarmarme, ya que podían ser parte de la cicatriz de la cirugía. Es más, yo noté algo después de la segunda cirugía, cuando estábamos en Nueva York, pero los médicos dijeron que no era nada. Sin embargo, las manchas seguían creciendo. Después de unos días de monitorearlas, mi mamá, por fin, me dijo que deberíamos ir al médico a ver qué podía ser. Unos días antes, por recomendación de una amiga, había estado en un centro de medicina biológica en la ciudad de Cali, donde me atendió el doctor O'byrne. Él me había hecho una terapia neural en el cuero cabelludo, que consistía en inyectar un líquido; decía que las células tienen memoria y era necesario hacer esta terapia, y, por un tiempo, pensamos que, de pronto, las manchas eran resultado de la misma.

Decidimos ir a la Fundación Santa Fe, donde el oncólogo Antonio Hakim. El doctor Hakim es un cirujano de cabeza y cuello. Es amigo de mis padres y una persona amable. Él miró las lesiones y dijo: “Hay que hacer una biopsia y determinar si es melanoma metastásico”. Al revisar la patología de las dos cirugías, y ver que la primera tenía metástasis en tránsito, estaba casi seguro de que esto era el cáncer retornando y multiplicándose.

Sin embargo, se hizo la biopsia y se ordenó un TAC de todo el cuerpo, para ver si había tumores visibles en otras partes. Esto, también, me producía pánico, pues si hubiera cáncer en más lugares, el pronóstico sería aún peor. Les recuerdo que mi cáncer estaba en el nivel IIIC, esto lo pondría en el nivel IV. A los dos o tres días, el doctor Hakim nos llamó y nos avisó que el resultado de la biopsia era positivo, que tenía cáncer metastásico en el cuero cabelludo.

Ese fin de semana me hicieron el TAC que, afortunadamente, salió sin nada más involucrado. Ese proceso fue difícil, pues la noche antes había que tomarse un líquido de contraste. Es un procedimiento que conlleva mucha radiación, en el que lo pasan a uno por una máquina y le van haciendo una radiografía de todo el cuerpo.

Obtenidos los resultados del TAC y de la biopsia, la recomendación del doctor Hakim fue la siguiente:

- Empezar de inmediato un tratamiento de interferón, el mismo que Chapman había dicho que no servía. Sin embargo, hay médicos que aún lo recomiendan.

- Hacer una cirugía que requería de un gran equipo, ya que me iban a remover una buena porción del cuero cabelludo.

- Hacer radioterapia en la zona de la cabeza.

Decidimos llamar a un cirujano en Arizona, Estado Unidos, que era hermano de un amigo de mis padres. No recuerdo su nombre, pero era famoso en esta área de oncología. Este doctor dijo que era imperativo operar de inmediato, que íbamos a requerir de un equipo de cirujanos plásticos, pues la operación sería muy extensa.

Llamamos al doctor Chapman a Nueva York, que no se alarmó tanto. Su recomendación no era operar. Él no es cirujano, pero pensaba que no servía para nada seguir operando, si el cáncer estaba ya fuera de la jaula. Quería entrevistarse con nosotros, que fuéramos a Nueva York, para ver qué se podía hacer.

Por último, consultamos al doctor Kraus, que ya me había operado dos veces; ni siquiera me llamó, solo miró unas fotos que le mandé por correo electrónico y, por su cuenta, programó una cirugía. Recuerdo la llamada de su oficina, en la que me avisaban de esto y me pedían que, por favor, depositara 130.000 dólares en tal cuenta; que me esperaban tal día. Una exhibición más del 'sensible sentido humanitario' de Kraus.

Para ese entonces, yo había leído mucho sobre la terapia *Gerson* y contacté su instituto, en el que me habían dado los teléfonos de muchas personas que habían sufrido de cáncer, no solo de mi tipo, sino de muchos otros. Yo los había estado llamando por un tiempo, y sus testimonios me sorprendían. La terapia era muy exigente; requería al día del consumo de trece jugos frescos de verduras y de cinco enemas de café. Aunque, a diferencia de Hippocrates, permitía calentar algunas comidas al vapor o en el horno, era también muy estricta con respecto las cantidades de aceite que se podían utilizar. Me asustaba esta terapia, ya que no entendía cómo se podía tener una vida 'normal' haciéndola.

Seguí y seguí llamando a más y más pacientes y todos me comentaban cómo se habían curado de enfermedades 'incurables'; asimismo, que llevaban cinco, diez o más años sanos, y que sus médicos y familiares no lo podían creer. Me contaban de lo duro que fue hacer la terapia *Gerson*, pero, también, de lo mucho que valió la pena, pues no solo habían eliminado la enfermedad, sino que, por cierto, estaban gozando de una gran salud. La verdad, me estaba convenciendo cada vez más de iniciar la terapia. La razón por la que me parecía mejor que la terapia Hippocrates, la que hacía, era que en el Instituto *Gerson* me estaban suministrando los teléfonos de las personas que habían hecho la terapia. En Hippocrates no me los daban, bien porque no estaban autorizados o bien porque no guardaban esos datos. La verdad, no sé.

El médico de Hippocrates me aseguraba que su terapia era mejor, pero recuerdo un día en que el director del centro me dijo: "Solo haría la terapia *Gerson*, si estuviera muriéndome", lo que me dejó impresionado. Me daba a entender que la zanahoria no era aconsejada por el contenido de azúcar, y los enemas de café, por el contenido de cafeína, pero, ahora, insinuaba que sí era buena para gente con estados de enfermedad muy avanzados. Por eso, decidí seguir investigando y, poco a poco, me convencí de que parecía que mi mejor opción de vida era la famosa terapia *Gerson*.

Una noche, cuando hablaba con una señora que se había curado diez años atrás de melanoma, ella me dijo: "Mire, Alan, si no está convencido, llame a *Carlota Gerson*. Este es el número de su casa". Era tarde y decidí llamarla la mañana siguiente.

—Buenos días, Carlota, le habla Alan Furmanski de Bogotá, Colombia. Tengo un melanoma que está muy avanzado y quiero saber si su terapia me puede ayudar.

—Alan, le recomiendo que compre el libro sobre la terapia. Lo que usted tiene es curable, pero debe hacer la terapia *Gerson* por dos años completos. No hay otra opción. Si tiene los medios económicos para venir a Tijuana, México, y aprender a practicar la terapia, por un par de semanas, se lo recomiendo; lo ayudará a entender mejor cómo se hace. Si no tiene los medios o la posibilidad de venir, hay muchas personas disciplinadas que han seguido el libro y se han curado siguiendo la terapia de esa manera. Recuerde que la terapia es de 104 semanas, por lo que, en las dos o tres semanas que va a estar en la clínica, no se va a curar, solo le van a enseñar cómo hacer la terapia.

Después de hablar con esta señora de 85 años, me decidí. Ella no parecía tener intereses ocultos, no me estaba vendiendo nada. Parecía ser la única persona, en toda esta aventura, que me estaba hablando de una verdadera solución que requería de mi propio esfuerzo y voluntad. No me prometía que me iba a curar en una semana ni que tendría una cura milagrosa, ni nada por el estilo. Me dijo que el problema era de toxicidad y deficiencia nutritiva. La terapia *Gerson* lo solucionaría.

Decidí llamar al instituto y mandar mis papeles. Fui aceptado para entrar a la clínica *Gerson* en Tijuana, el 1 de mayo del 2007.

## Quién era *Max Gerson*

Max Gerson era un doctor alemán nacido en 1881, que, en el siglo veinte, desarrolló una dieta especial sin sal ni grasas y, además, vegetariana, que lo ayudó a curarse de las migrañas que lo habían agobiado por años. El doctor *Gerson*, aun cuando era un médico alopático, empezó a prescribirles esta dieta a pacientes con tuberculosis. Los resultados fueron muy buenos y se publicaron muchos estudios acerca de la dieta *Gerson*, de cómo se dio a conocer y de cómo ayudaba en esta temida enfermedad de la época.

El doctor *Max Gerson* fue perseguido por su religión y se exiló en Francia e Inglaterra, países en los que vivió unos años, antes de emigrar de manera definitiva a los Estados Unidos. Una vez allí, se estableció en Nueva York, donde montó una práctica para atender principalmente a pacientes de cáncer. Como había tenido buenos resultados tratando el cáncer en Europa, con su dieta especial, entonces, se dedicó, por el resto de su carrera, a la ayuda de estos 'incurables', para que se curaran. El doctor *Gerson* trató a cientos de pacientes a través de los años. La historia de porqué empezó a tratar personas con cáncer es interesante.

Cuando aún estaba en Europa, una señora, con cáncer terminal de estómago, le pidió que le prescribiera una dieta para tratarlo. El doctor *Gerson* especificó que no tenía experiencia con esta enfermedad, pero, ante la insistencia de la paciente, decidió prescribirle un tratamiento. La paciente sanó y, por el resultado obtenido, empezó a tratar más y más personas con cáncer. De esta manera, decidió dedicar la mayor parte de su ejercicio profesional, a la cura esta enfermedad.

En Estados Unidos realizó una buena práctica, pero la oposición del establecimiento médico era muy grande. Los médicos alopáticos no querían saber nada del tratamiento *Gerson*. A pesar de ello, en 1946, Claude Pepper, senador demócrata de la Florida, invitó al doctor *Gerson* a declarar sobre su tratamiento, ante el Senado de los Estados Unidos. El doctor *Gerson* llevó varios casos de pacientes 'incurables' que habían recuperado la salud con su terapia. Los casos estaban muy bien identificados y tenían patologías y diagnósticos emitidos por centros para el tratamiento del cáncer, los más importantes de la época. La idea de Pepper era suministrarle a *Gerson* parte de los cien millones de dólares que el Senado tenía para aportar a diferentes centros, en los que se desarrollaban terapias contra el cáncer.

En esta misma época, surgió la quimioterapia para el tratamiento del cáncer, y la promesa farmacéutica de este tratamiento se robó el escenario, haciendo que los esfuerzos del doctor *Gerson*, para que su terapia fuera aplicada a gran escala, se perdieran, pues ningún médico se atrevía a ir en contra de lo promulgado por la AMA (Asociación Médica Americana).

La quimioterapia moderna está directamente ligada al descubrimiento del nitrógeno mostaza, un agente químico de guerra. El Departamento de Estado, de los Estados Unidos, tenía un gran arsenal de químicos, después de la Segunda Guerra Mundial, y contrataron a dos farmacólogos, Luois Goodman y Alfred Gilman, para investigar los usos farmacéuticos de agentes químicos utilizados en la guerra. Las autopsias de la guerra demostraban que gente expuesta al gas mostaza mostraba supresión linfoide y mieloide. Los farmacólogos razonaron que este gas podría ser usado para tratar el linfoma. Le inyectaron este gas a un paciente que sufría de linfoma no—hodgkin, y vieron una gran reducción en las masas tumorales. Aunque los resultados solo duraron un par de semanas, fue la primera prueba de que los agentes farmacológicos podrían ser utilizados para el cáncer.

Después de esto, se desarrolló cada vez más lo que hoy conocemos como la quimioterapia moderna, y, a pesar de que los resultados no han cambiado mucho, logró imponerse como el tratamiento más aceptado, al punto que, en los Estados Unidos, nunca se informó nada acerca de la terapia *Gerson*, sobre todo, en publicaciones médicas importantes.

En 1958, el doctor *Gerson* publicó el libro *Resultado de cincuenta casos, treinta años de experimentación clínica*. En esta publicación, escrita un año antes de su muerte, el doctor *Gerson* mostró cincuenta casos 'incurables' con patologías, radiografías y toda la documentación necesaria que sustentaba que habían sido curados con su método. De la misma manera, describía el método, a la perfección, para personas que lo querían hacer. Después de su muerte, su hija Carlota continuó promoviendo la terapia.

*Hoy en día*

Hoy en día, la medicina alopática no reconoce la terapia *Gerson* como una manera de curar o tratar el cáncer. Esta es practicada por fuera de los tratamientos convencionales, aquellos cubiertos por los seguros médicos recomendados por la mayoría de doctores en el mundo.

El conocimiento, y la práctica, de la terapia *Gerson* es restringido; muchos doctores ni siquiera la recomiendan, pues no es complemento con tratamientos alopáticos de cirugía, radioterapia y quimioterapia. Al contrario, va en contra de las quimios y la consideran contraproducente a su propósito principal, que es desintoxicar el cuerpo, contrario a lo que hacen la quimio y la radioterapia.

Por esta desinformación, son pocas las personas que deciden no practicar estos tratamientos invasivos que disminuyen las posibilidades, de los pacientes, de curarse con el método *Gerson*. Sin embargo, vale la pena destacar que cientos de personas han utilizado la terapia *Gerson* para curarse de muchas enfermedades, que no solo incluyen el cáncer.

## El inicio del tratamiento en la clínica Gerson

A finales de abril, decidimos con mis padres viajar a Nueva York a ver al doctor Chapman, antes de ir a México a iniciar la terapia *Gerson*. La parada en Nueva York iba a ser rápida; solo estaríamos dos días. El doctor Chapman miró las lesiones y dijo que él recomendaba aplicar una crema que las quemara, y, además, hacer un tratamiento de radioterapia superficial para asegurarse de matar cualquier célula que quedara flotando por ahí.

De manera sorpresiva, descubrimos que él proponía algo compatible con la medicina no alopática, que no promulgaba. ¿Para qué hacer otra operación, si las células pueden estar en cualquier parte? Podían quitar las que estaban ahí, pero, en dos semanas, iban a salir en otra parte. ¿Entonces cuál era el punto de la cirugía? No obstante, tampoco aportaba una solución. De lo que pude entender por su respuesta, no la hay, solo se puede esperar a ver qué pasa.

Después de esta alentadora visita con el doctor Chapman, mi mamá y yo salimos hacia San Diego, California, en la frontera con México. Ahí, nos iban a recoger a la mañana siguiente para llevarnos a Tijuana, donde estaba la clínica *Gerson*. Ese día, estuvimos caminando tranquilos por San Diego.

Al llegar a la clínica conocimos a los demás pacientes y al doctor que nos iba a atender. No es una clínica como las comunes, en las que se hacen operaciones y existen equipos para atender emergencias y cosas por el estilo. Es un centro en el que enseñan a hacer la terapia y dan guías para hacerla correctamente cuando uno está en la casa. Además de eso, el doctor ayuda a entender los resultados de los exámenes de laboratorio, que el paciente debe hacerse con cierta periodicidad, para asegurar que el funcionamiento del cuerpo esté bien.

Era una pequeña casa blanca, con un jardín y una fuente, ubicada cerca del océano Pacífico. A mano derecha del jardín, donde se estacionó el conductor, estaba la cocina. En ese momento, había cuatro señoras preparando jugos y comidas. En frente, estaba la casa principal, la oficina del doctor Pedro Cervantes y la estación de enfermería. La señora encargada de darles la bienvenida a los pacientes salió a saludarnos. Recuerdo su nombre, Andrea Rubio.

—*Hello, how are you?* —dijo Andrea

—Hablamos español —respondí.

La gran mayoría de pacientes que van a la clínica son de Estados Unidos, por eso, asumió que éramos norteamericanos y nos habló en inglés. En realidad, para todo el personal de la clínica era una sorpresa que llegara un paciente que se expresara en nuestro idioma. Me atrevería a decir que fui el primer paciente de Colombia que llegó a la clínica.

Las directoras y dueñas son las doctoras Alicia Meléndez y Luz Bravo. Ellas se entrenaron durante muchos años en la terapia *Gerson*, con la ayuda y guía de *Carlota Gerson*. La señora *Gerson* empezó a trabajar en Tijuana en 1977, cuando emigró hacia California después de vivir casi tosa su vida en la costa Este norteamericana.

Las doctoras Meléndez y Bravo han desarrollado una gran experiencia en la terapia y, en 1997, fundaron esta clínica. Por mucho tiempo, estuvieron al frente del tratamiento de los pacientes, pero, eventualmente, se dedicaron a administrar la clínica; el trabajo médico se lo dejaron a los doctores más jóvenes.

Mi médico sería el doctor Pedro Cervantes. El doctor Pedro, como le decían los americanos, decidió involucrarse con este tipo de medicina, porque en sus propias palabras "...quería ayudar realmente". Desarrolló en Guadalajara, Jalisco, su entrenamiento médico en el área de cirugía, y llevaba varios años atendiendo pacientes *Gerson*, cuando lo conocí.

Me hizo una entrevista en la que me preguntó qué tipos de tratamientos me había practicado, qué cirugías, qué drogas tomaba, etc. Me dijo que pensaba que mi caso era delicado, pero que, si hacia la terapia, había muy buenas probabilidades de que me recuperara. Parte de la razón consistía en que la terapia *Gerson* responde muy rápido y muy bien a cánceres de metabolismos rápidos, como el melanoma, el linfoma y el cáncer de ovario. Esto no quiere decir que no funcione para otros tipos de cáncer, pero en los que nombré, responde especialmente bien.

El doctor Pedro no es una persona de un carácter muy simpático, es esa su forma de ser, pero tengo que reconocer que realizar ese tipo de trabajo, ya de por sí, demuestra que tiene vocación de servicio y que, además, está interesado en ayudar realmente a pacientes que sufren de las más temidas de las enfermedades. Me dio el protocolo que debía seguir durante mi estadía en la clínica. Este protocolo consistía básicamente de trece jugos frescos al día, que serían suministrados cada hora por el personal de la clínica. Uno de los jugos que me recetó era el de zanahoria sola, que me darían tres veces al día; otro, era el jugo verde, que debía tomar cuatro veces y, por último, el jugo de zanahoria con manzana, seis veces al día.

Además, debía tomar un desayuno que consistía en avena en agua endulzada con frutas secas o frescas y agave o panela. El almuerzo consistía en papa al horno, ensaladas frescas y todo tipo de vegetales cocinados al vapor en su propia agua. Era importante acostumbrarse a comer esta comida que no tenía sal y que era bastante simple, pero muy nutritiva. Esa sería mi dieta por los próximos dos años.

El doctor me recetó también los suplementos de la terapia *Gerson*, que incluían CoQ10, niacina, enzimas pancreáticas, *Milk Thistle*, entre otras cosas. Además de los requerimientos alimenticios de la terapia, también era necesario hacer enemas de café y tomar aceite de ricino, día de por medio. Estas son las instrucciones para preparar el concentrado del café que se usa en el enema:

*Para preparar el concentrado*

- Se ponen cinco tazas de agua destilada en una olla de acero inoxidable. Cinco tazas equivalen a 1.25 litros de agua.
- Cuando el agua está hirviendo, se le añaden quince cucharadas de café orgánico molido.
- Se baja el fuego al mínimo posible, por dos minutos, y se mantiene la olla tapada.
- Después, se apaga la estufa y se deja el café enfriando por trece minutos más. Se debe revolver con una cuchara.
- El café se cuela y se mete a un termo.
- Este concentrado debe alcanzar para cuatro o cinco enemas, ya que cada enema solo lleva ocho onzas del concentrado de café.

*Para hacer el enema*

- Cuando se va aplicar el enema se alista un balde, se meten ocho onzas o una taza del concentrado de café, al balde, y tres tazas de agua destilada. Se puede hervir un poco de agua destilada, para que el enema esté a temperatura del cuerpo.

- Entonces, se pueden tener dos termos. Uno, con el concentrado del café; otro, con el agua destilada caliente.

Mi protocolo incluía cinco de estos enemas al día. Obvio, es muy duro de seguir. El régimen completo, que se me prescribió, es el siguiente (la tabla 1 cubre las primeras tres o cuatro semanas; la tabla 2 muestra las reducciones o modificaciones subsiguientes del tratamiento):

## Tabla 1

Tabla 17-1

ITINERARIO POR HORA PARA TIPICO PACIENTE CON CANCER

| | *Enema* | *Comida* | *Aceite deLinaza (cucharada)* | *Acidol Capsulas Pepsin* | *Jugo (8 oz cada jugo)* | *Compuesto de Potasio (cucharadita de te)* | *Solucion de Lugol (1/2 gotas de fuerza)* | *Tiroide (gr)* | *Niacin (mg)* | *Capsulas de Higado* | *Pancreatin Tabletas (0.325 g)* | *Higado y B12 Inyecciones (3cc Higado, 1/20 cc B12)* |
|---|---|---|---|---|---|---|---|---|---|---|---|---|
| 6:00 AM | Café | | | | | | | | | | | |
| 8:00 AM | | Desayuno | | 2 | Naranja | 4 | 3 | 1 | 50 | | 3 | |
| 9:00 AM | | | | | Verde | 4 | | | | | | |
| 9:30 AM | | | | | Zanahoria / Manzana | 4 | 3 | | | | | |
| 10:00 AM | Café | | | | Zanahoria/ Manzana | 4 | 3 | 1 | 50 | | | |
| 11:00 AM | | | | | Zanahoria | | | | | 2 | | Todos los dias |
| 12:00 PM | | | | | Verde | 4 | | | | | | |
| 1:00 PM | | Almuerzo | 1 | 2 | Zanahoria / Manzana | 4 | 3 | 1 | 50 | | 3 | |
| 2:00 PM | Café | | | | Verde | 4 | | | | | | |
| 3:00 PM | | | | | Zanahoria | | | | | 2 | | |
| 4:00 PM | | | | | Zanahoria | | | | | 2 | | |
| 5:00 PM | | | | | Zanahoria / Manzana | 4 | 3 | 1 | 50 | | 3 | |
| 6:00 PM | Café | | | | Verde | 4 | | | 50 | | | |
| 7:00 PM | | Cena | 1 | 2 | Zanahoria / Manzana | 4 | 3 | 1 | 50 | | 3 | |
| 8:00 PM | | | | | | | | | | | | |
| 9:00 PM | | | | | | | | | | | | |
| 10:00 PM | Café | | | | | | | | | | | |

## Tabla 2

Tabla 17-2

ITINERARIO ANUAL PARA TIPICO PACIENTE CON CANCER

| *# de Semanas* | *Jugos* | *Comida* | *Acidol Capsulas Pepsin* | *Compuesto de Potasio (cucharadita de te)* | *Tiroide Tableta* | *Solucion de Lugol (1/2 gotas de fuerza)* | *Niacin (mg)* | *Pancreatin Tabletas (0.325 g)* | *Higado y B12 Inyecciones (3cc Higado, 1/20 cc B12)* | *Enemas Café* | *Enemas Aceite Ricino* |
|---|---|---|---|---|---|---|---|---|---|---|---|
| 2-3 | 1 naranja, 5 manzanas / zanahoria, 4 verdes 3 zanahorias | Regular + dos cucharadas de aceite linaza | 3 X 2 | 10 X 4 | 5 X 1 | 6 X 3 | 6 X 1 | 4 X 3 | 1 diaria | Cada 4 horas | Dia de por medio |
| 3 | Igual | Regular + una cucharadas de aceite linaza | 3 X 2 | 10 X 2 | 3 X 0.5 | 6 X 1 | 6 X 1 | 4 X 2 | 1 diaria | Cada 4 horas | Dia de por medio |
| 5 | Igual | Igual | igual | 8 X 2 | 2 X 0.5 | 6 X 1 | 6 X 1 | 4 X 2 | 1 diaria | Cada 4 horas | Dia de por medio |
| 4 | Igual | Incorpore 3 oz yogurt | igual | 8 X 2 | 3 X 0.5 | 6 X 1 | 6 X 1 | 4 X 2 | 1 diaria | Cada 4 horas | Dia de por medio |
| 5 | Igual | 6 oz yogurt | igual | 8 X 2 | 3 X 0.5 | 6 X 1 | 6 X 1 | 4 X 2 | 1 diaria | Cada 4 horas | 2 semanales |
| 4 | Igual | 2 X 4 oz yogurt | igual | 8 X 2 | 3 X 0.5 | 6 X 1 | 6 X 1 | 4 X 2 | 1 diaria | 3 diarios | 2 semanales |
| 6 | Igual | Igual | Igual | 8 X 2 | 2 X 0.5 | 6 X 1 | 6 X 1 | 4 X 2 | Dia de por medio | 2 diarios | 1 semanal |
| 6 | Igual | Igual, mucho crudo | Igual | 6 X 2 | 2 X 0.5 | 6 X 1 | 4 X 1 | 4 X 2 | 2 semanales | 2 diarios | |
| 6 | Igual | Igual | Igual | 6 X 2 | 2 X 0.5 | 4 X 1 | 4 X 1 | 4 X 2 | 2 semanales | 2 diarios | |
| 9 | Igual | Igual | Igual | 6 X 2 | 2 X 0.5 | 4 X 1 | 4 X 1 | 4 X 2 | 2 semanales | 2 diarios | |
| 9 | Igual | Igual | Igual | 6 X 2 | 2 X 0.5 | | 4 X 1 | 4 X 2 | 2 semanales | 1 diario | |
| 7 | Igual | Igual | Igual | 6 X 2 | 2 X 0.5 | 5 X 1 | 4 X 1 | 4 X 2 | 1 semanal | 1 diario | |

Para una descripción más detallada de la terapia *Gerson*, puede comprar el libro *Terapia Gerson, cura del cáncer y otras enfermedades crónicas*. Hay modificaciones de la terapia para pacientes que hayan sido tratados con quimioterapia, o que estén muy debilitados.

La clínica contaba con apenas diez cuartos, uno para cada paciente. Cuando llegué había siete pacientes. En realidad, la demanda por este tipo de tratamientos no es tan alta, considerando que, en los Estados Unidos, se diagnostican al año un millón de nuevos casos de cáncer, y que existen millones de personas que sufren de enfermedades degenerativas, como la diabetes, la artritis, la osteoporosis, la obesidad y afecciones mentales, como la depresión. Todas, anormalidades que se pueden corregir con la terapia *Gerson*. Hay varias razones por las que se mantiene baja la demanda para este tipo de tratamientos, por las que una clínica, como esta, tiene dificultad, incluso, para mantener un promedio de diez pacientes durante todo el año.

Una de ellas es que los doctores alopáticos no estimulan a sus pacientes a buscar alternativas. Por eso, una gran cantidad, de los que llegan a la clínica *Gerson*, ya trataron todas las alternativas que la medicina alopática tenía para ofrecerles. Cuando sus médicos les dicen que no hay nada más que hacer, es cuando recurren a la terapia *Gerson* u otros tratamientos alternativos. Además, la terapia *Gerson* funciona mucho mejor cuando los pacientes no han sido sometidos a quimioterapia, pues los tóxicos de esas drogas destruyen la habilidad del cuerpo para curarse. Son muy pocos los pacientes que toman esta terapia como primera línea de tratamiento. Irónicamente, estos pacientes son a los que mejor les va.

Otra de las razones por las que llegan pocos pacientes de los Estados Unidos, es porque hay muy mala prensa sobre las ciudades del norte de México. Claro, esto no tiene nada que ver con la clínica, sino con la inseguridad y las guerras de droga que afrontan estas ciudades, lo que afecta bastante; a los norteamericanos les da miedo viajar a Tijuana.

Otro factor que perjudica la popularidad de la clínica es que los seguros médicos no cubren este tipo de tratamientos, porque no están dentro de los protocolos 'científicos' aceptados. Esto es una desgracia; se podría ahorrar mucha plata, si se diera a los pacientes la oportunidad de escoger qué tratamientos quieren hacer. Si prefieren hacer algo natural, como la terapia *Gerson*, se les debería dar la oportunidad. Pero el sistema americano de seguros es cuadriculado y no se aceptan estos tratamientos alternativos.

Volviendo al tema, a la clínica se debe ir por un mínimo de dos semanas, aunque la mayoría de pacientes dura tres. Este es el tiempo que toma aprender bien la terapia, para poder hacerla a la perfección cuando se regresa a casa. Sin embargo, el valor semanal de cinco mil dólares es alto para mucha gente, y difícil, en extremo, de pagar, para las personas que vienen de Latinoamérica.

No es necesario ir a la clínica para poder hacer la terapia *Gerson*, pero, si se tienen los medios, es mejor ir. Sin embargo, con la información que hay en el libro *Terapia Gerson cura del cáncer y otras enfermedades crónicas*, es posible obtener buenos resultados. La señora *Carlota Gerson* escribió este libro para ayudar a las cientos de personas que, por varios motivos, no pueden ir a la clínica, pero quieren hacer la terapia.

Las personas encargadas de servir y preparar los jugos y la comida en la clínica eran bastante amables, y los pacientes eran personas realmente especiales. Entre ellos, estaba Brian, un señor de casi sesenta años, con un cáncer que había hecho metástasis en el hígado. Los doctores en Utah, de donde era oriundo, lo habían tratado un año con interferón, después de que le operaran un cáncer que había aparecido primero en su cuello. Por la magnitud del tumor primario, habían decidido darle la droga, intentando que no hiciera metástasis. Desafortunadamente, el interferón no ayudó en nada y el cáncer estaba ahora en su hígado. Él y su esposa Camille eran personas muy simpáticas, por eso, desarrollamos una muy buena amistad con ellos. Dos meses después de retornar a su casa, en Utah, Brian falleció.

Curiosamente, su hija Dana, a quien conocí un año después en Bogotá -labora con el Departamento de Estado de los Estados Unidos y, en dos ocasiones, ha estado trabajando por varias semanas en Colombia, por lo que he tenido la oportunidad de estar con ella-, me dijo que a su padre la terapia le estaba funcionando bien, pero su enfermedad estaba muy avanzada y su cuerpo no pudo recuperarse. A pesar de esto, ella había tenido mucha fe en lo que él había decidido hacer.

También estaba una señora muy tierna, que se llamaba Lori, con su esposo David. Lori había sido diagnosticada hacía varios años con un tipo de cáncer de pulmón de no fumadores. Le habían practicado dos cirugías, pero el cáncer seguía retornando y, por eso, había decidido buscar una alternativa. Aunque no nos hemos mantenido en contacto, lo último que escuché es que estaba bastante bien.

Otro de los pacientes era Austin McDonald, de Ohio, que fue un tiempo con su hermana Christine y, después, con su novia, ahora, esposa, Hwoang, de Vietnam. Austin era el más carismático de todos los pacientes de la clínica. Tenía una cabellera larga y le gustaba practicar yoga. Su diagnóstico era un cáncer de hígado que se había desarrollado por el consumo de licor. Con Austin hemos desarrollado una gran amistad a través de estos años. Él y su esposa Hwoang vinieron a mi matrimonio en El Salvador y, siempre, nos mantenemos en contacto. Espero que pueda vivir muchos años más, pues es una gran persona.

En la clínica también estaba Vivian, una médica paraguaya que estaba interesada en aprender sobre la terapia, para poder ayudar a sus pacientes con cáncer. Vivian era muy cercana a nosotros, porque hablaba español.

Había otros pacientes que estaban interesados en hacer la terapia para problemas de cáncer de colon, intoxicación por metales pesados y otras complicaciones. También, una señora, muy enferma con cáncer de pulmón, que murió poco después de salir de la clínica. Era canadiense y su hija, que era muy amorosa, estaba muy contenta por haber ido, y porque su madre hubiera visto el mar, por primera vez en su vida.

La clínica tenía un ambiente bueno. Los pacientes nos manteníamos unidos, conversábamos mucho y comíamos juntos. Siempre estábamos muy ocupados colocándonos los enemas, tomando los jugos y tratando de organizarnos para que, cuando volviéramos a nuestras casas, pudiéramos seguir con el tratamiento por cien semanas más. Eso, de por sí, implicaba un estrés permanente, pues aprender a hacer todo lo que había que hacer y, después, poder implementarlo en la casa, era un trabajo bastante difícil.

En mi caso, no sabía dónde conseguiría vegetales orgánicos en Colombia: dieciséis kilos de zanahoria, ocho kilos de manzana, veinte unidades de lechuga romana, entre otras cosas. Parecía un problema difícil de solucionar. Conocía únicamente los mercados tradicionales y no sabía si existían fincas dedicadas al cultivo de este tipo de vegetales, como en los Estados Unidos, país en el que existen supermercados especializados para este tema. Pasaba parte del tiempo con mi mamá, llamando a Colombia para tratar de encontrar dónde comprar mis alimentos.

Afortunadamente, mi primo Jacky Rotlevich, que había trabajado en la industria de la madera y con piedras preciosas por muchos años, decidió desarrollar una finca, a las afueras de Bogotá, para sembrar hortalizas orgánicas que vendía a restaurantes y a personas como yo. Su interés nació veinte años antes, cuando estuvo en el Instituto Anne Wigmore, en Puerto Rico. Empezó a trabajar con alimentos orgánicos, luego de leer el libro *Sobreviviendo en el siglo XXI*, de Viktoras Kulvinskas, un lituano, pionero del movimiento de comidas crudas. Esa fue mi primera fuente, pero teníamos que encontrar otras para los demás alimentos, pues Jacky no cultivaba todo lo que requería la terapia.

La vida en la clínica era monótona, no pasaba gran cosa. El mejor día era el miércoles; venía la señora *Carlota Gerson* desde San Diego, a dialogar con los pacientes. Cuando era más joven, iba a la clínica todos los días, pero, por su edad, ahora, solo lo hacía una vez a la semana, manejando sola desde San Diego, lo que era sorprendente, dados sus 85 años de edad. En sus charlas intentaba motivar y ayudaba a los pacientes a entender que, para curarse, era necesario e imperativo que hicieran la terapia completa, que no había manera de cortar camino ni de salirse del paso. Tenían que ser muy dedicados y hacer las cosas, exactamente, como eran requeridas.

Por su origen alemán, poseía una personalidad fuerte. Ella se quedaba en la clínica, después de su charla; visitaba a cada paciente y, luego, almorzaba con nosotros. Era la verdadera estrella del lugar. Los doctores, los empleados y los pacientes, por supuesto, esperábamos este día con ansia, y con gran felicidad recibíamos en nuestros cuartos a la señora *Gerson*, para oír sus consejos y para que nos hablara de la evolución de la enfermedad.

Pasaron los días y se acercaba el gran momento de volver a Colombia, para hacer la terapia por 102 semanas más. Compré la máquina Norwalk para hacer los jugos, y una buena cantidad de suplementos. El único contacto que tendría con el doctor, tras irme de la clínica, sería una llamada mensual para revisar los resultados de los exámenes de sangre, que me debería hacer, y que debía mandarle antes de la consulta.

Sobre mi caso y las recomendaciones que me habían hecho los médicos alopáticos, de hacerme otra cirugía, tratamientos químicos y radioterapia, tanto la señora *Gerson* como el doctor Cervantes se mostraron de acuerdo en que no iban a ser de gran ayuda. El melanoma era un cáncer que viajaba muy rápido y, por lo tanto, esos tratamientos servirían solo para acelerar más el desarrollo, pero no detendrían la enfermedad. En otras palabras, como me había dicho desde el principio la señora *Gerson*, y como lo había hecho en su libro el doctor *Max Gerson*, el cáncer se cura con los cambios de alimentación y la desintoxicación del cuerpo. Ahora, tenía que hacer la terapia en casa.

## Terapia Gerson, en práctica

Tengo que decir que la terapia *Gerson*, no solo, hasta cierto punto, me salvó la vida. Me retornó la esperanza de vivir y me hizo sentir que cada día hacía algo para mejorar. Tomarse un jugo cada hora, practicarse un enema cada cuatro horas, y la dieta tan estricta, en realidad, lo hacen a uno sentir que está haciendo un gran trabajo para detener y reversar el cáncer. Pasé días bastante solitarios, ya que tenía que estar buena parte del día en mi casa, recibiendo los jugos y haciéndome los enemas.

Luego de llegar a Bogotá, fue difícil al principio; implicaba hacer la terapia lejos de la comodidad de la clínica. Allá, preparan los jugos, el concentrado de café y toda la comida, mientras que, en casa, hay que hacer todo solo. Por otro lado, después de las charlas con la señora *Gerson*, uno no quiere fallar en nada, y esto crea un estrés adicional que afecta también a la familia. "¿Será que estoy haciendo todo bien? ¿Será que las zanahorias que me venden sí son orgánicas? ¿Será que el agua con la que me baño a diario tiene flúor o cloro?". Tenía que hacerme estas preguntas a diario, y muchas de las respuestas eran difíciles de dilucidar, debido a que tenía que confiar en la gente que me vendía los alimentos, y en los que me ayudaban a prepararlos.

En ese entonces, en mi casa, estaban trabajando Teresa y María Antonia, que eran las personas que me ayudaban a hacer los jugos y a preparar todos los alimentos y las demás cosas que se necesitan para hacer la terapia. Para ellas, también, fue un gran aprendizaje. Las bolsas de los jugos se explotaban a menudo, los alimentos no quedaban bien preparados, y cosas por el estilo. Pero esas cosas empezaron a mejorar rápido, y a salir todo bien.

Al principio tenía dudas de si el tratamiento estaba funcionando o no. Por ejemplo, cuando me enteré de que mi amigo Brian, de la clínica, había fallecido, me dio muy duro; alguien que hacía el mismo tratamiento, ya no estaba, y esto era difícil de digerir. Por eso, me comunicaba con otros pacientes, de los conocidos en la clínica, y con algunos que me habían dado sus testimonios, para asegurarme de que esto sí iba a dar resultado. Les preguntaba sobre cómo había sido el proceso y cómo se habían recuperado. Hablar con ellos, era una bendición verdadera; la manera de ver que sí existían personas curadas por el tratamiento *Gerson*.

Con el tiempo, al darse cuenta de que sí estaba dando resultados, es cuando uno se pregunta: Si esto funciona realmente, ¿por qué no lo practica el que tiene este diagnóstico? ¿Por qué los médicos no recomiendan el tratamiento? ¿Por qué los gobiernos no nos hablan de la terapia *Gerson*?

Pasaba mucho tiempo en la casa y, desde ahí, trabajaba un poco, descansaba y me acostumbraba a esta nueva vida, sedentaria y antisocial. Conocí a mi novia Sofía un mes antes de ser diagnosticado con melanoma, y ella había estado conmigo durante todo el proceso. En este momento, permanecíamos apartados el uno del otro. Yo había decidido hacer el tratamiento en Colombia, ella vivía en Miami. Hablábamos a diario por teléfono, gracias a internet, y, si bien era difícil para ella y para mí tener una relación así, superamos todos los obstáculos que puede traer la distancia.

Fue una época de mucha soledad y, aunque de vez en cuando salía a comer a otro sitio, siempre llevaba mi comida; no me arriesgaba a ingerir nada que no fuera orgánico y que no estuviera preparado según los requerimientos de la terapia: nada de sal, azúcar refinada, comidas enlatadas, embutidos, etc.

Sentía que todo evolucionaba bien. Los tumores en mi cuero cabelludo empezaron a perder su pigmento y suponía que mi sistema inmunológico estaba respondiendo, pues pasé por varias crisis curativas, en las que sentía dolores que no podían ser nada más que el proceso de desintoxicación del cuerpo. En realidad, era una maravilla lo que estaba pasando. Tal vez, los días más difíciles eran aquellos en los que me tocaba tomarme el aceite de ricino, días en que el estómago se me revolvía.

Como a los dos meses de empezar la terapia, por sugerencia de mis tíos Arturo y Joyce Furmanski, empecé a tomar clases de yoga con el maestro *Haridam*. Él venía a mi casa dos veces a la semana. La relajación que encontré en prácticas como el yoga *nidra* (ver explicación en el capítulo de yoga), era increíble. El yoga me ayudó a relajarme y a tomar más control de la enfermedad.

Así pasaron los días, las semanas y los meses. Recuerdo que, cuando llevaba tres meses de tratamiento, pensaba que me faltaban tan solo veintiún meses. Cada mes que pasaba, me acercaba a la *cura*.

La terapia *Gerson* recomienda que los pacientes estén muy quietos y no efectúen esfuerzos físicos mayores, cuando están en proceso de curación, debido a que la mayor cantidad de energía debe ser utilizada para el proceso de sanación. Dicen que en su clínica, el doctor *Gerson* supervisaba que todos los pacientes estuvieran en cama el mayor tiempo posible. Tiene mucho sentido que sea así; en realidad, el cuerpo solo tiene cierta cantidad de energía, si la gasta en actividades físicas, no la puede usar para acabar con la enfermedad.

Psicológicamente, me sentía mejor cada vez; estaba convencido de que actuaba de la mejor manera y, eso, me tranquilizaba; las cosas saldrían bien. En verdad, no me daban ganas de ver a un médico alopático; por su recomendación, nada iba a cambiar en mi estilo de vida. Estaba convencido de que el cáncer se podía curar de manera natural y, si en realidad no tenía cura y esa era mi suerte, prefería que la naturaleza tomara su propio curso. Por lo general, los exámenes de sangre me salían bastante normales. A veces, tenía subidas en los niveles de colesterol y triglicéridos; aunque la dieta *Gerson* es nula en proteína animal y muy baja en grasa vegetal, los médicos decían que se debía a que el hígado eliminaba los excesos de grasa que habían permanecido ahí por años; consecuencia de tener por tanto tiempo un hígado graso.

No encontré obstáculos mayores durante los dos años que hice la terapia *Gerson*. Esto es interesante en extremo, porque, de las personas que conocí en la clínica, pude apreciar que las que tuvieron mayores obstáculos fueron aquellas que no confiaron en el tratamiento y continuaron visitando a oncólogos que, eventualmente, los convencieron de entrar a tratamientos de quimioterapia o radioterapia. Me impactó cómo desmejoraron en su salud, de manera sustancial, después de someterse a ellos. Muchos, empezaron a sufrir de otras condiciones, las relacionadas con los efectos secundarios de los medicamentos químicos.

Por supuesto, sabía que ir al médico traía ese riesgo y, por eso, lo evité. Todavía lo evito. No estoy tratando de retar a los médicos, ni mucho menos, pero, simplemente, el tipo de medicina que practico, no lo pueden ni lo quieren entender la mayoría de los médicos occidentales.

Durante esos dos años, tuve tiempo de sobra para leer libros muy interesantes, que me ayudaron a entender porqué el cuerpo se enferma y cómo se puede curar, a relajarme con clases de yoga y a ver la vida desde otro punto de vista. Seguí trabajando, pero con otro ritmo, pues muchos creemos que trabajar implica que estemos estresados. La realidad es que se puede lograr más cuando uno está relajado.

Mucha gente me pregunta si la terapia *Gerson* funciona para esta o para tal otra enfermedad. La verdad es que la enfermedad es solo una. Hay que corregir el desbalance que se presenta cuando se manifiestan los síntomas. La terapia *Gerson* le retorna un nivel de nutrición óptimo al cuerpo, que recibe más de tres mil calorías al día. La comida procesada o industrializada no tiene un real contenido nutritivo, solo son calorías vacías que hacen más daño que bien.

Les respondo entonces que la nutrición de la terapia *Gerson* y, además, la desintoxicación que se busca alcanzar con la ayuda del tratamiento de aceite de ricino y de los enemas de café, le sirven a cualquier persona que tenga una enfermedad, o que solo busque mantener su cuerpo lejos de ella, pero hay que entender que la terapia *Gerson* no cura al paciente, sino que le da al cuerpo las herramientas para que el mismo cure la enfermedad.

Poco a poco, los tumores que habían recurrido en mi cuero cabelludo se estaban desvaneciendo. Siempre me los miraba en el espejo y le pedía a mis padres que los revisaran. Incluso, tengo fotos de los cambios de estos tumores, a través del tratamiento, y estás son pruebas del funcionamiento de la terapia.

Como dice *Carlota Gerson*, la terapia sí termina, aunque a muchos que la están haciendo les parece que no acaba nunca; pero hay que ser perseverante. Una vez se llega al final y se notan los beneficios, también, es difícil salir de la terapia, pues se convierte en un escudo vital. Cuando se terminan los dos años y se retorna a una vida más normal, todo cambio es difícil de aceptar. Uno siente como si estuviera dejando la única cosa que lo mantuvo bien.

Poco a poco, empecé a disminuir el número de enemas que me hacía cada día. Baje a tres; después, a dos y, hoy en día, solo me hago uno o, a veces, ninguno. Aprendí a sentir lo que necesita el cuerpo y a actuar de acuerdo a eso. También, empecé a disminuir la cantidad de jugos que me tomaba al día.

En cuanto a la dieta, mantengo una prácticamente vegana; de vez en cuando, me como un pedazo de queso, pero, en realidad, no lo debería hacer. La terapia *Gerson* dice que el paciente debe respetar en un 90% los principios, después de acabarla, y puede cambiar la dieta el porcentaje restante. Esto se debe al bajo valor nutricional de los alimentos comunes, por eso, se recomienda mantenerse más cerca a la terapia, después de acabar la parte intensa.

Hoy en día, me alimento fuera de la casa, de vez en cuando, pero no me siento igual de bien que cuando estoy respetando al 100% la terapia *Gerson*. Creo que la razón principal es que por fuera de la casa la gente tiende a echarle sal a la comida, y a condimentarla. Cuando uno está acostumbrado a una dieta más sencilla, esta comida resulta muy pesada.

En la actualidad, dedico mi tiempo a trabajar en la difusión de la terapia *Gerson*, para retornarle la esperanza a muchos 'incurables' que no ven la luz, pues son sometidos, únicamente, a tratamientos que los hacen sentir cada vez peor. Con el tiempo, me gustaría montar clínicas que suministren este tratamiento y, ojalá, un día, los seguros cubran este método para que más personas se puedan sanar.

## Otros testimonios

### *AUSTIN MCDONALD, DÍA A DÍA, VENCE EL CÁNCER DE HÍGADO*

En mayo de 2005, en la ciudad de Cleveland, Ohio, Estados Unidos, un médico le detectó a Austin McDonald una masa en el hígado. Después de muchos exámenes, le recomendó que se sometiera a un trasplante. El costo de esta cirugía se estimaba en doscientos cincuenta mil dólares y, aunque su seguro la cubriría, el precio era exorbitante. Austin había sido por muchos años un gran consumidor de licor, y comprendió que si quería sobrevivir era esencial que cambiara su dieta y estilo de vida. Asimismo, sabía que, si le realizaban ese trasplante, tendría que tomar diversos medicamentos para que el órgano nuevo se adaptara a su cuerpo por el resto de su vida. Este trasplante, por supuesto, no era la solución para él.

Empezó a practicar yoga, meditación y a leer sobre terapias que pudieran devolverle la salud. A finales del 2006, empezó la terapia *Gerson* y, poco a poco, su salud ha mejorado. Hoy en día, es un prestigioso profesor de yoga en Chicago, Illinois.

El último ultrasonido que le hicieron, todavía, mostraba una pequeña masa en su hígado, pero sus exámenes de sangre y su salud general han mejorado de modo considerable. Por eso, vive cada día con tranquilidad, pues sabe que hace lo mejor que puede para su cuerpo y su mente.

Conozco a Austin personalmente y sé que es una persona que entiende el poder de este tratamiento; por eso, no dejó que los médicos le vendieran el cuento que necesitaba drogas, trasplantes u otro tratamiento tóxico que le hiciera más daño a su cuerpo. En realidad, su actitud y su caso son un misterio para los médicos alopáticos.

### *PATRICIA AINEY, VEINTITRÉS AÑOS DE HABER SIDO CURADA DEL CÁNCER DE PANCREAS*

*El cáncer de páncreas es uno de los más difíciles de curar, pero, con la terapia Gerson, es posible hacerlo.*

Testimonio de Patricia Ainey, traducido al español por Alan Furmanski.

Mi nombre es Patricia Ainey. Vivo en un pueblo pequeño en la bella British Columbia, Canadá.

Tengo 70 años de edad y estoy muy contenta de estar viva.

En Enero de 1986, me dieron tres meses de vida, por un diagnóstico de cáncer de páncreas con metástasis al hígado, vaso y vesícula. Los especialistas médicos me dijeron: "Vaya a su casa, organice sus cosas y prepare a su familia, pues el cáncer es inoperable". Estábamos devastados. Cuando había perdido la fe, oí hablar del tratamiento de la Clínica *Gerson*, en México. "¿Qué?", me dije. "No puede ser. Es una farsa, una estafa. Pero, ¿qué hacer?". Sentía mucha desconfianza, pero no tenía ninguna otra opción. Mi peso había disminuido de 150 libras a 85, me sentía muy mal y vomitaba sangre. Con mi familia, decidimos ir a Tijuana y empezar la terapia *Gerson* en busca de una esperanza.

Empecé la terapia en marzo 7 de 1986, diez días antes de cumplir 47 años. Después de diez días de haber empezado, dejé de sangrar y sentir dolor. Mi esposo, Ron, fue de gran ayuda y, durante nuestro tiempo en Tijuana, aprendimos todo lo que pudimos para llevar a cabo la terapia en casa.

En Julio de 1986 (cuatro meses después), mi doctor en Canadá me felicitó por lo bien que me veía, y me dijo: "Patricia, no sé qué estás haciendo ni quiero saber, pero síguelo haciendo".

En Diciembre de 1986 (nueve meses después), mi doctor dijo: "Patricia, creo que erradicaste el cáncer de tu cuerpo". Fue un gran regalo de navidad, para mi familia y para mí.

La dieta no es fácil, cinco enemas al día, trece jugos orgánicos y una dieta estricta. Es fundamental creer en ella.

Estuve en terapia dos años, pero, todavía, me mantengo muy cerca de sus principios. Cuando encuentras una cura tan maravillosa, no la quieres dejar. Acá estoy, veintitrés años después, tengo cinco nietos y estoy feliz de estar viva.

### *COLOMBIANO QUE BATALLÓ CON CÁNCER DE RIÑÓN Y PRÓSTATA, EN 1993 Y 2003, CUENTA SU HISTORIA*

*En dos ocasiones, se curó con la terapia Gerson. Hoy, a sus sesenta años, es más saludable que muchos jóvenes.*

En 1993, Rodolfo Villamizar, colombiano de la costa Caribe, fue diagnosticado con cáncer terminal de riñón. Hoy, dieciséis años después, le atribuye su enfermedad a la carencia de nutrientes esenciales en su organismo. Rodolfo, también, señala que el abuso físico al que sometió a su cuerpo por el ejercicio, causó un desbalance que, eventualmente, se manifestó en este grave diagnóstico.

En abril de 1993, se preparaba para competir en una carrera de ciclismo y fue a practicarse el examen médico de rutina, que solía hacerse antes de las arduas competencias. Durante el mismo, un ultrasonido del estómago reflejó una masa sólida en el riñón derecho. Fue un shock para él, pues no sentía ningún dolor. Ese es el peligro que se corre; para decirlo en sus palabras: "El cáncer es traicionero, no te duele hasta que es muy tarde".

Los médicos que lo estaban atendiendo recomendaron cirugía, radiación y quimioterapia para tratar de extender su vida, aunque fuera unos meses. Según el diagnóstico, el tumor estaba encapsulado en el riñón derecho, y el riñón izquierdo estaba 'comprometido'. Rodolfo tomó la decisión de dejar que le removieran el riñón derecho, pero el riñón izquierdo estaba dañado en un 80% y los médicos sugirieron quitarlo y poner a Rodolfo en diálisis. El urólogo le dijo que tenía un año de vida. Rodolfo se negó a esta segunda cirugía, y decidió investigar algo diferente. Caminando las calles de Nueva York, ciudad en la que vivía, entró a una tienda naturista y encontró los libros *Mi triunfo sobre el cáncer*, de Jackie Robinson, y *Time to Heal*, de Beata Bishop. Las dos autoras se habían curado de cáncer terminal con la terapia *Gerson*, y se sintió atraído por lo radical que era el tratamiento y por lo cercanos que eran sus principios a las leyes de la naturaleza.

Decidió contactar al Instituto *Gerson* y viajar en carro a San Diego, California, que queda a unos cinco mil kilómetros de Nueva York. Era como estar de vacaciones, recuerda Rodolfo; supuestamente, le quedaba un año de vida y no le molestaba lo extenso del viaje. Llegó a San Diego solo para ver si era verdad lo que había leído en los libros. El Instituto lo mandó a Tijuana y, allí, se entrevistó con la doctora Alicia Meléndez. En la clínica había pacientes con cáncer de hígado, páncreas y muchos otros diagnósticos terminales.

Recuerda en especial a una muchacha con cáncer uterino. Al hablar con la madre de la joven, esta le contó que, después de cuatro días de estar en la terapia, su hija había expulsado algo en medio de una reacción y que, posiblemente, había sido un tumor. Esta historia y muchas otras que escuchó durante estos días lo terminaron de convencer. La felicidad de los pacientes y su ánimo le daban esperanza. Rodolfo estuvo en una clínica de quimioterapia, cuando su mejor amigo había muerto de cáncer de pulmón, hacia algunos años, y recordaba las caras largas y afectadas de los pacientes y familiares.

Empezó el tratamiento *Gerson*, a principios de 1994. Dejó su trabajo para dedicarle el 100%, y viajó tres meses a Colombia, donde tenía familiares en Sincé, Sucre. Se llevó el extractor Norwalk 250 (máquina de jugos) que, dieciséis años después, todavía conserva. El tratamiento dio buenos resultados y muy rápido. Según un TAC que se practicó unos meses después, el cáncer había desaparecido del riñón izquierdo.

No trabajó durante los primeros seis meses, después, lo hizo medio tiempo y llevaba a su oficina una neverita con algunos jugos. Nunca detuvo la terapia. En 1995, *Carlota Gerson* le recomendó que no se hiciera otro TAC, debido a su toxicidad.

Pero su batalla con el cáncer no terminaría ahí. En 2003, fue diagnosticado con cáncer de próstata. Le encontraron unos nódulos que se cree fueron ocasionados por la práctica intensa del ciclismo, durante más de diez años. Los médicos le sugirieron hacerse una biopsia, pero él se negó; sabía que esta podría hacer que el cáncer se extendiera. Retornó a la terapia intensiva por seis meses y, después un ultrasonido rectal comprensivo, mostró que el cáncer había desaparecido.

Todos los años, durante su cumpleaños, se hace exámenes hormonales, de próstata e hígado y, siempre, han resultado negativos. Ha vivido con un riñón por dieciséis años y, hoy en día, goza de salud excelente. Toma jugos y cuida la calidad de lo que consume. Recuerda que, en 1993, ya tenía canas, a sus 45 años. Hoy, a los 60, no tiene un pelo blanco en su cabeza, y no se tiñe el pelo.

Si desea contactar a Rodolfo, lo puede hacer por correo electrónico: rovimo@msn.com

## *NANCY BRONZI SE CURA DE CÁNCER TERMINAL*

*Ejemplo de convicción.*

En agosto del 2005, Nancy fue diagnosticada con un Linfoma no-hodgkin estadio IV, después de que un TAC revelara que el cáncer estaba en sus riñones, detrás de su corazón, cerca de la columna vertebral, y en su estómago. El diagnóstico inicial fue por un tumor visible en su cuello, que la llevó a visitar al oncólogo, en primera instancia. Los médicos le dijeron que tenía cuatro meses de vida, y que debería empezar una quimioterapia, de inmediato. Al decirles que no iba a hacer quimio, la médica de cabecera, molesta, le dijo que no la hiciera perder el tiempo.

Nancy no creía en la quimioterapia; con la ayuda de su hija buscaron opciones en internet y encontraron en la terapia *Gerson* una opción con sentido, por la seriedad y disciplina que requería el tratamiento.

"La Terapia no prometía una cura mágica ni milagrosa, sino un estilo de vida para sanar el cuerpo, lo que me llamó la atención", comenta Nancy. En septiembre 6 del 2005, empezó la terapia *Gerson*.

El tumor visible que tenía en el cuello desapareció en tres semanas. Nancy se había realizado un TAC y un PET antes de empezar la terapia, y recuerda que en un aeropuerto tuvo problemas con el detector de metales, por la radiación que tenía en su cuerpo. Por eso, solo se realizó ese TAC y, hoy en día, usa ultrasonido como método de diagnóstico, pues es menos invasivo. Le atribuye su cáncer a un exceso de medicación con drogas farmacéuticas, por más de 35 años. Hoy en día, no toma ningún medicamento farmacéutico.

Usaba bastón antes de la terapia, ahora no lo usa. Se siente muy bien y quiere contarle su historia al mundo. Sabe que esta es la única y verdadera manera de curar el cáncer y, por eso, quiere que todos sepan que sí se puede. Nancy vive en Canadá y, más de cuatro años después de ser diagnosticada con cáncer terminal, está perfectamente bien, sin rastros de cáncer en su cuerpo. Es un ejemplo verdadero. Si le interesa hablar con Nancy, mándeme un correo y le enviaré sus datos.

## Segunda parte

## Perder el miedo

*"El miedo es desconocer que Dios existe y nos quiere". "Que querer es poder".*

Definitivamente, uno de los problemas más grandes del cáncer, o de cualquier otra enfermedad, es el miedo que acompaña al paciente y a su familia al recibir este diagnóstico. Y no es para menos. Cuántas personas no conocen a un familiar o amigo que ha muerto de cáncer, de un ataque al corazón, o de diabetes. Al ser diagnosticado con alguna de estas enfermedades, uno nunca piensa que va a estar en esos zapatos, pero, ahora, es su turno de afrontar el diagnóstico. El doctor *Max Gerson* decía que más de la mitad de pacientes que morían de cáncer, morían por el diagnóstico y no por la enfermedad. El diagnóstico los dejaba con una mentalidad de incapacidad ante la enfermedad.

Realmente, no es raro ser diagnosticado con una de estas enfermedades crónicas o degenerativas, hoy en día. Son muy comunes. En Estados Unidos, se habla de que una de cada dos personas desarrollará cáncer en su vida, y las enfermedades del corazón le cobran la vida al 40% de las personas (tres mil infartos al día), muchas veces de una manera prematura, a pesar de los avances en drogas y cirugías. La diabetes es muy común y, casi, todo el país está consumiendo algún medicamento. Si una persona se siente triste, va a un psicólogo que, fácilmente, le receta un antidepresivo. Estos medicamentos causan cambios en el sistema nervioso y en la mente, además, afectan el hígado y son muy peligrosos, pues alteran el ritmo cardiaco.

Obviamente, estos medicamentos que desarrollan las grandes farmacéuticas son altamente rentables. Y las farmacéuticas encuentran en los médicos el perfecto canal de distribución. La industria médica utiliza a los famosos 'vendedores' (visitadores) de drogas para convencer a los médicos de utilizar lo que producen. Este convencimiento, por lo general, está acompañado de generosas invitaciones y comisiones, que son totalmente legales, según la legislación americana.

Basta con mirar el caso de los medicamentos para dos enfermedades comunes: el colesterol elevado y la hipertensión. Según la publicación *World's Best Selling Medicines*, veintiséis de las doscientas medicinas más vendidas en el mundo son para el colesterol y la hipertensión, condiciones que afectan el corazón, el sistema cardiovascular y que son totalmente corregibles con una dieta 100% vegana. Se gastaron por lo menos cincuenta y seis billones de dólares en el 2006, para 'tratar' estas condiciones con medicamentos que no presentan una cura y que tienen efectos secundarios muy peligrosos:

| Ranking 2006 | Marca | Generico | Ventas 2006 (millones US$) | Compania Manufacturera | Enfermedad/Uso Medico | Aprobada |
|---|---|---|---|---|---|---|
| 1 | Lipitor | Atorvastatin | 14.385 | Pfizer, Astellas Pharma | Colesterol | dic-96 |
| 25 | Zocor | Simvastatin | 2.803 | Merck & Co. | Colesterol | dic-91 |
| 42 | Crestor | Rosuvastatin | 2.049 | AstraZeneca, Shionogi | Colesterol | nov-02 |
| 47 | Vytorin | Ezetimibe + Simvastatin | 1.955 | Merck & Co., Schering-Plough | Colesterol | jul-04 |
| 48 | Zetia | Ezetimibe | 1.929 | Merck & Co., Schering-Plough | Colesterol | oct-02 |
| 61 | TriCor, Lipanthyl | Fenofibrate | 1.567 | Abbott Laboratories, Solvay | Colesterol | feb-98 |
| 87 | Pravachol | Pravastatin | 1.197 | Bristol-Myers Squibb | Colesterol | oct-91 |
| 132 | Mevalotin | Pravastatin | 799 | Daiichi Sankyo | Colesterol | jun-09 |
| 141 | Lescol | Fluvastatin | 725 | Novartis | Colesterol | dic-93 |
| 185 | Niaspan | Niacin | 498 | Kos Pharmaceuticals | Colesterol | jul-97 |
| 5 | Norvasc | Amlodipine | 4.866 | Pfizer | Hipertension | jul-92 |
| 9 | Diovan | Valsartan | 4.223 | Novartis | Hipertension | dic-96 |
| 19 | Cozaar, Hyzaar | Losartan | 3.163 | Merck & Co. | Hipertension | abr-95 |
| 35 | Avapro, Aprovel, Avalide | Irbesartan | 2.372 | Sanofi-Aventis, Bristol-Myers Squibb | Hipertension | sep-97 |
| 52 | Toprol, Seloken | Metoprolol | 1.795 | AstraZeneca | Hipertension | ene-92 |
| 54 | Atacand, Blopress | Candesartan | 1.768 | Takeda Pharmaceutical, AstraZeneca | Hipertension | oct-97 |
| 58 | Micardis | Telmisartan | 1.645 | Boehringer Ingelheim, Astellas Pharma | Hipertension | nov-98 |
| 70 | Coreg | Carvedilol | 1.441 | GlaxoSmithKline | Hipertension | sep-95 |
| 73 | Benicar, Olmetec | Olmesartan | 1.370 | Daiichi Sankyo, Forest Laboratories | Hipertension | abr-02 |
| 74 | Lotrel | Amlodipine + Benazepril | 1.352 | Novartis | Hipertension | jun-99 |
| 83 | Delix, Tritace | Ramipril | 1.227 | Sanofi-Aventis | Hipertension | jul-00 |
| 128 | Adalat | Nifedipine | 825 | Bayer | Hipertension | nov-85 |
| 175 | Vasotec, Vaseretic | Enalapril | 547 | Merck & Co. | Hipertension | dic-85 |
| 177 | Cardura | Doxazosin | 538 | Pfizer | Hipertension | nov-90 |
| 184 | Amlodin | Amlodipine | 506 | Dainippon Sumitomo | Hipertension | n/a |
| 193 | Concor | Bisoprolol | 455 | Merck KGaA | Hipertension | jul-92 |
| TOTAL | | | 56.000 | | | |

Este fenómeno, basado en un negocio tan rentable y, por absurdo que suene, absolutamente legal, hace que los médicos utilicen cualquier mecanismo que esté a su alcance para asegurarse de que los pacientes se sometan a estos costosos tratamientos. Si miramos el costo de las drogas para el cáncer, vemos que cada ciclo de quimioterapia puede costar cinco mil dólares. Es un negocio enorme y los médicos hacen parte de toda la cadena; algunas enfermedades tienen que encontrar para que compremos estas drogas.

Por eso, debemos saber que todos tenemos un doctor dentro de nosotros, y debemos aprender a despertarlo. Precisamos informarnos sobre las diferentes alternativas que hay para curarnos, y saber que no hay nada más perfecto que el cuerpo humano, que tiene la capacidad de corregir cualquier problema, si le damos las herramientas necesarias.

Es esencial que el paciente tome control de su enfermedad y no tenga miedo, pues este causa estrés emocional y físico, lo que hace más difícil la recuperación. Para vencer el miedo es muy importante tener una actitud que afirme que, si quiero vivir, lo voy a lograr; solo uno puede decidir eso y, con la ayuda de Dios, va a estar bien. Es importante entender que hay que hacer cambios; muchas veces, nos desviamos del camino que debemos seguir y, por eso, aparece la enfermedad. En los próximos capítulos hablaré de los cambios que estoy convencido se deben hacer para lograr una plenitud física, mental y espiritual, lo que le devolverá a cualquier persona, que esté pasando por un momento difícil, la fuerza para salir adelante y vencer el miedo. El miedo es desconocimiento de la verdad y de los principios que gobiernan este universo. El miedo es desconocimiento de que Dios existe y nos quiere a todos, de que, con su ayuda, podemos alcanzar cualquier meta.

## Deja la proteína animal, fertilizante del cáncer

*"Si llenamos nuestros cuerpos de cadáveres, no podremos curarnos. Y cómo podemos hablar de paz cuando solo en Estados Unidos se matan veinticuatro millones de animales al día".*

Cada vez escucho con más frecuencia sobre la importancia de hacerse exámenes anuales, para detectar el cáncer 'a tiempo'. En mi opinión, es otra manera de que la "Industria del cáncer" haga otro gran negocio con el diagnóstico de la enfermedad, pues parece que el tratamiento no es suficientemente rentable. Miles de máquinas son desarrolladas cada año para hacer mamografías, radiografías, colonoscopias y otros procedimientos que son estándar en el régimen médico occidental. Estos procedimientos ayudan a diagnosticar varios de los tipos de cáncer más comunes, como el cáncer de seno, el de próstata, el de colon, entre otros. Los productos son patrocinados con masivas campañas publicitarias de televisión, radio y medios impresos en las que salen famosos actores y otras personalidades, promoviendo y patrocinando los exámenes. Los fondos para las mismas son suministrados por grandes empresas que tienen algún interés económico, o están tratando de mejorar su imagen, pero toda esta maquinaria no tiene mayor utilidad.

Y no entiendo realmente porqué se sigue confundiendo a la gente, diciéndole que el diagnóstico temprano es la manera más eficiente de evitar la muerte causada por el cáncer. La realidad es que, cuando un doctor puede diagnosticar clínicamente un tumor en el cuerpo, se debe a que el proceso lleva muchos años de incubación. Ya es tarde en el momento del diagnóstico. La energía y la gran cantidad de plata que se invierten en esas campañas de publicidad para promover la detección temprana, deberían estar dirigidas a promover hábitos de vida y alimentación que, efectivamente, eviten el cáncer. Esa es la verdadera manera de bajar positivamente los índices de la enfermedad, lo que, sin duda, podría salvar muchas vidas, además de disminuir el gran costo médico que representa para la sociedad.

Como explica brillantemente el doctor Collin Campbell en su libro *El Estudio de China*, el desarrollo del cáncer tiene tres etapas: iniciación, promoción y proliferación. Para ilustrar de manera sencilla qué representan estas tres etapas, el doctor Campbell compara este proceso con el de sembrar un árbol. El periodo de iniciación es comparado con poner las semillas en la tierra. Ese proceso, en el cuerpo humano, se desarrolla al estar expuestos a cancerígenos presentes en el medio ambiente, o, cuando los ingerimos por voluntad propia. Por ejemplo, el humo de los carros en las ciudades polucionadas en las que vivimos, o, al fumarnos un cigarrillo o comernos un pedazo de carne de res. Al estar expuestos a estos cancerígenos, el DNA de las células cambia y empieza un proceso de cáncer.

No hay que entrar en pánico. Si solo esa pequeña exposición, que se da a diario, creara la enfermedad, estaríamos realmente indefensos ante ella. La noticia buena es que, para que la enfermedad se desarrolle, al igual que para que el árbol crezca, se le deben suministrar ciertos ingredientes. Al igual que cuando sembramos un árbol, es importante darle lo que necesita para que crezca y se desarrolle (sol, agua, viento y nutrientes en la tierra), de manera similar, las células cancerígenas necesitan de promotores que impulsen el surgimiento de la enfermedad. A diferencia del proceso de iniciación, que toma minutos, el proceso de promoción puede tomar años, incluso décadas, y es diferente en cada organismo. Al consumir más y más cancerígenos, se sigue promoviendo y desarrollando la enfermedad.

Hay millones de personas que están desarrollando el cáncer y muchas otras enfermedades degenerativas; realmente, no están enteradas de ello, ya que un examen médico para diagnosticar la enfermedad no lo puede mostrar. En la etapa de promoción no se han desarrollado los síntomas a partir de los cuales los médicos diagnostiquen[1].

El último paso es de la proliferación de la enfermedad. En esta etapa, el paciente presenta un

---

[1] Este hecho se evidencia también por la cantidad de información que está saliendo en la prensa, acerca de la controversia en relación con las mamografías o colonoscopias necesarias; su práctica, como exámenes de rutina, se ha impuesto, y a un costo alto, pero son útiles para salvar vidas, pues la enfermedad ya está presente. Lo que se necesita es prevención y no detección. La detección sirve solo de alerta final para el paciente, le avisa que tiene que tomar la decisión de cambiar o no, pero no lo pone en el camino de curarse. No le va a ir muy bien al que continúe con los mismos hábitos de vida y se someta a los tratamientos alopáticos, ya que se atacan los efectos, pero no las causas.

tumor visible. Como cuando al árbol le nacen hojas, frutos y raíces fuertes. En muchos casos, solo se encuentra un tumor en algún órgano o tejido y, por lo tanto, se dice que el tumor o el cáncer está 'localizado'. Este es un término médico para tranquilizar a los pacientes y hacer más sencilla la venta de cirugías y otros tratamientos químicos y tóxicos, pues el paciente siente que está todo bajo control, pero el doctor quiere 'ayudar' a que la enfermedad no siga desarrollándose y, además, quiere 'asegurarse' de que si llega a haber una célula cancerígena en el cuerpo, la quimioterapia sea capaz de matarla. Nada puede ser más engañoso y falso que esto. El cáncer nunca es local, siempre es sistemático y altera el funcionamiento de todo el cuerpo[2].

---

[2] El hecho de que se manifieste en un órgano específico, solo muestra que se puede desarrollar en un lugar en el que existe debilidad genética. Por ejemplo, es más común el cáncer de piel en gente de piel blanca, que en gente de piel negra, por su genética. Sin embargo, si una persona negra consume cancerígenos toda su vida, desarrollará otro tipo de cáncer, diferente al cáncer de piel, pues su genética lo puede salvar de un tipo de cáncer, pero no del cáncer en sí. Y es ese el error de la medicina occidental. Cáncer es cáncer, y su desarrollo se logra por un exceso de toxicidad en el

En definitiva, una vez que se puede ver un tumor, el conjunto de miles y miles de células que lograron burlarse del sistema inmunológico, formarse en algún órgano o tejido, ya estamos en la etapa de proliferación, cuyo paso final se da cuando el cáncer sigue su marcha y viaja a otros órganos del cuerpo, hasta que, eventualmente, se toma el organismo y causa su muerte. El proceso de proliferación es mucho más difícil de reversar que el proceso de promoción. Por eso, la prevención es la mejor medicina, porque intenta impedir el desarrollo de estos procesos.

Al respecto, quiero contarles que hace poco la American Cancer Society (ACS) entró en una controversia sobre si seguir difundiendo el uso masivo de mamografías, como método efectivo para la prevención de cáncer de mama. En teoría, las mamografías detectan el cáncer a tiempo, cuando puede todavía ser tratado efectivamente. Según un artículo del *New York Times*, a principios de 2010, la ACS planea abandonar sus rígidas recomendaciones sobre la necesidad de que cada mujer de 40

---

cuerpo, y por una deficiencia de vitaminas y nutrientes, esenciales, que, cada vez, consumimos menos en la sociedad moderna.

años, o más, se practique mamografías periódicamente. La razón principal para hacerlo, es que la mamografía no salva tantas vidas, principalmente, porque detecta tumores que, probablemente, nunca se convertirán en amenazas letales, pero no detecta los tumores realmente peligrosos. Como los doctores no saben qué pacientes no se deben tratar, por tener cánceres lentos, todos lo son, lo que supone procedimientos innecesarios, costosos y dolorosos.

Algo similar a esto ocurre con el cáncer de próstata. En este último, el uso del PSA o el antígeno específico de la próstata, que se mide con un examen de sangre, ha creado una 'epidemia' de cánceres nuevos, muchos de los cuales nunca hubieran llegado a convertirse en letales. El examen del PSA ha convertido a muchos hombres, relativamente saludables, en pacientes traumatizados de cáncer. La ansiedad por el nivel del PSA se convirtió en una enfermedad llamada "PSA-titis", como la nombró el famoso oncólogo canadiense Ian Tannock, MD. Mientras tanto, formas mortales del cáncer de próstata, que sí son peligrosas, no son detectadas con el uso del PSA.

Ya se habían hecho varias críticas en contra de la mamografía. El doctor John Bailar, MD, PHD, ex director del *Journal of the National Cancer Institute*, viene cuestionando la eficacia de las mismas, desde 1976. También, Samuel Epstein, MD de la universidad de Illinois, dijo que la exposición a la radiación por las mamografías era peligrosa. Otro que ha arremetido contra esta práctica es el doctor H. Gilbert Welch, autor del libro *¿Debo hacer un examen para saber si tengo cáncer?* (*Should I get tested for cancer*?). Él afirma que se presentan muchos casos en los que se diagnostica a pacientes que hubieran muerto por otras causas, ya que sus cánceres eran poco agresivos.

Un reciente artículo del JAMA (*Journal of the American Medical Association)* dice que el uso masivo de las mamografías incrementó el número de cánceres no agresivos, sin reducir la mortalidad por la enfermedad, y el artículo del *New York Times* concluye que "…las mamografías presentan un verdadero riesgo de sobretratar muchos cánceres pequeños, y no ver los letales".

*¿Cómo evitar el desarrollo del árbol de cáncer?*

Para evitar el cáncer, hay que hacer cambios, y uno de los principales es dejar de consumir proteína animal. Parte del cambio es mental, pues se basa en que reconozcamos lo dañina que puede ser la carne, para nosotros, para que, de ese modo, rompamos el paradigma de que es necesaria para vivir. ¿Qué tiene que ver la proteína animal en todo este cuento? A muchos de ustedes los sorprenderá saber que el mejor fertilizante para el cáncer es justamente ese, es el factor que más afecta el crecimiento de la enfermedad en la crítica etapa de promoción, que discutimos anteriormente.

A continuación, voy a explicar porqué. Cuando la comida entra a nuestros cuerpos, tiene que pasar por todo el sistema digestivo, para que podamos absorber los nutrientes. El sistema digestivo empieza por la boca y sigue por la faringe, el esófago y el intestino, que, a su vez, está dividido en dos secciones, el intestino delgado y el intestino grueso. El intestino delgado es un tubo largo y estrecho que tiene entre seis y siete metros de longitud. El intestino grueso es más ancho en diámetro, pero más corto en longitud. Tiene 1.5 metros de largo.

Esto muestra claramente que nuestro intestino, gracias al cual digerimos toda la comida, es muy largo y, si consumimos una dieta difícil de digerir, no masticamos bien la comida, o cometemos cualquier otra imprudencia, causamos un grave problema, debido a que podemos taponarlo al comer alimentos que se adhieran a el por años. Esos alimentos tóxicos forman la enfermedad.

Y la carne es especialmente dañina, porque nuestro cuerpo no está diseñado para consumirla. A este respecto, vale la pena mencionar que algunos historiadores y antropólogos han llegado a la conclusión de que el hombre ha sido siempre un animal omnívoro. Sin embargo, nuestra composición anatómica dice lo contrario y apunta a que, genéticamente, hemos evolucionado, al igual que muchos de los mamíferos, para ser herbívoros. Nuestros dientes, mandíbula y sistema digestivo son aptos para una dieta sin carne de ningún tipo. La mayoría del tiempo que los humanos han habitado el planeta, han consumido una dieta vegetariana o muy cercana a ella.

Aún más interesante que lo anterior, es descubrir que la mayoría de la gente vive aún con una dieta vegetariana, pues no cuenta con los recursos para consumir carne de ningún tipo. En la mayoría del mundo desarrollado, en el que el consumo de carne y proteína animal es tan alto, este fenómeno es relativamente nuevo, no tiene más de cien años. Empezó por varios factores que incluyen la habilidad de refrigerar la carne, una sociedad orientada al consumismo masivo, y la gran influencia que tienen industrias tan poderosas como las ganaderas, avícolas y lecheras, en todos los países del mundo. Ese gran poder ha influido en que los legisladores y médicos, encargados de darnos una guía de lo que debemos comer, nos recomienden esos alimentos que, realmente, no son aptos para nuestros organismos. Pero en cien años, el cuerpo humano, obvio, no se ha adaptado al consumo de la carne.

Muchos científicos, incluso el famoso Albert Einstein, han mostrado de manera contundente que la dieta de frutas y vegetales es la más apropiada para el ser humano, dada su fisionomía.

Los humanos, como muestra la siguiente tabla, somos más similares a los herbívoros, que a los animales genéticamente desarrollados para comer carne.

| Carnívoros | Herbívoros | Humanos |
| --- | --- | --- |
| Tienen garras | No tienen garras | No tienen garras |
| No tienen poros en la piel, transpiran por la lengua | Respiran por poros en la piel | Respiran por poros en la piel |
| Colmillos al frente de la dentadura para romper alimentos; no molares en la parte de atrás | Molares planos en la parte de atrás de la dentadura | Molares planos en la parte de atrás de la dentadura |
| Intestino corto. La carne descompuesta se elimina rápido | Intestino largo que dificulta el paso de carne, que demora días en ser digerida | Intestino largo que dificulta el paso de carne que dura días en ser digerida |
| Alto contenido de ácido clorhídrico en estómago para digerir carne | Bajo contenido de ácido dificulta la digestión de la carne | Bajo contenido de ácido dificulta la digestión de la carne |
| Glándulas salivarias en la boca no son necesarias para predigerir granos y frutas | Glándulas salivarias en la boca muy bien desarrolladas para predigerir granos y frutas | Glándulas salivarias en la boca muy bien desarrolladas para predigerir granos y frutas |
| Saliva ácida | Saliva alcalina | Saliva alcalina |

Basada en la tabla desarrollada por A.D. Andrews, *Comida hecha para el hombre* (Chicago, Sociedad Americana de Higiene, 1970).

Si los humanos estuviéramos hechos para comer carne, no tendríamos tantas similitudes en nuestros sistemas para ingerir y digerir, como con los animales herbívoros.

Los humanos no somos carnívoros porque, a diferencia de ellos, necesitamos cocinar la carne. El verdadero carnívoro se come su carne de inmediato, al matar a su presa, y lo que guarda para después, también se lo come crudo. Además, necesitamos llenarla de salsas y condimentos, pues su sabor normal nos repugnaría. Nosotros, fácilmente, podemos vivir sin carne y, además, no es nuestro instinto natural matar para comer, más bien a muchos nos daría impresión y seríamos incapaces de matar un animal con este propósito.

Entonces, ¿por qué comemos carne si todo esto es verdad? La realidad es que, desde pequeños, nos dicen que comer carne, pollo, pescado, etc., es importante para ser fuertes, porque son las fuentes de proteína. La realidad es que hay fuentes iguales de buenas, de proteína vegetal, como podemos ver en el cuadro siguiente.

| Composición Nutricional de comidas de base Animal y Vegetal (por 500 calorias de energía) | | |
|---|---|---|
| **Nutrientes** | **Origen Planta*** | **Origen Animal**** |
| Colesterol (mg) | - | 137 |
| Grasa (g) | 4 | 36 |
| Proteina (g) | 33 | 34 |
| Beta-Caretona (mcg) | 29,919 | 17 |
| Fibra (g) | 31 | - |
| Vitamina C (mg) | 293 | 4 |
| Folate (mcg) | 1,168 | 19 |
| Vitamina E (mg_ATE) | 11 | 0.5 |
| Hierro (mg) | 20 | 2 |
| Magnesio (mg) | 548 | 51 |
| Calcio (mg) | 545 | 252 |

** Partes iguales de tomates, espinaca, frijoles lima, papas*

*** Partes iguales cerdo, carne de rés, pollo, y leche entera*

*Fuente China Study Pg. 230*

Claramente, al consumir quinientas calorías de fuentes vegetales, obtenemos casi los mismos gramos de proteína que con quinientas calorías de origen animal. Sin embargo, muchos más nutrientes y sin nada de colesterol.

De todos modos, muchas personas me preguntan todo el tiempo cómo puede ser posible conseguir toda la proteína que se necesita de fuentes vegetales. Les da miedo, porque sus médicos o familiares los asustan diciendo que si no comen proteína animal pueden debilitarse, sobre todo, al estar enfermos. Si no lo están, la carencia de proteína animal puede ser causa de la enfermedad. Espero poder explicar que sí es posible y, aún más importante, que es mucho más saludable obtener toda la proteína de fuentes vegetales.

De nuevo, voy a apoyarme en *El Estudio de China*, del doctor Campbell, para poder explicar cómo funciona. Las proteínas en el cuerpo se abastecen y desabastecen todo el tiempo. El reabastecimiento de proteína se logra consumiendo las comidas que las contienen. Cuando las ingerimos, estas proteínas nos dan una nueva fuente de aminoácidos. Varios de los aminoácidos que necesitamos para reabastecer los tejidos de proteína, los produce nuestro propio cuerpo, pero otros debemos buscarlos en nuestra alimentación.

Para ser más específicos, hay ocho aminoácidos necesarios que debemos conseguir en la comida que consumimos. Son llamados "aminoácidos esenciales" porque nuestros cuerpos no los puede producir. Sin estos aminoácidos esenciales, la síntesis de nueva proteína se puede detener. Por eso, categorizamos a la proteína dependiendo de su calidad. Si la comida que consumimos tiene una buena cantidad de esos aminoácidos esenciales que necesitamos, la categorizamos como proteína de buena calidad.

Una buena pregunta que plantea el doctor Campbell es: ¿Cuál es la proteína que, siguiendo ese paradigma, sería la de 'mayor calidad'? La respuesta le puede producir, a muchos, rebote de estómago: esa proteína sería la de nuestros hermanos humanos. Como es absolutamente repugnante pensar en comer carne humana, la segunda mejor opción es la proteína de otros animales. Dentro del gran rango de proteína de origen animal que existe, hemos supuesto que la proteína de los huevos y de la leche es la mejor fuente para suplir nuestra necesidad de los ocho aminoácidos esenciales. Por lo tanto, se podría concluir que los huevos y la leche representan las fuentes de proteína de 'mejor' calidad para el ser humano.

De acuerdo con este paradigma, la proteína de 'menor calidad' sería la de las plantas, por la sencilla razón de que ninguna planta o vegetal tiene los ocho aminoácidos esenciales juntos, aunque, como grupo, sí los contiene todos.

El concepto de calidad, realmente, se refiere a la eficiencia con la que la proteína en la comida promueve el crecimiento. Esto sería perfecto si la mayor eficiencia nos diera mayor cantidad de salud, pero no es así. Por eso, los términos eficiencia y calidad son engañosos. Hay una montaña de investigación científica que muestra que la 'baja' calidad de proteína vegetal, que da para una lenta pero constante síntesis de nueva proteína, es la más saludable. Lento pero seguro, en este caso, es lo mejor para el cuerpo.

Por esta razón, los promotores del consumo de proteína animal, incluyendo a la industria avícola y lechera, nos han engañado durante décadas al hacernos pensar que la proteína más eficiente y de mejor calidad es la que encontramos en sus productos, cuando la realidad es muy diferente. Siempre, pensamos que lo de mejor calidad y eficiencia es mejor y -así es el mundo-, entonces, asumimos que debe ser igual cuando estamos hablando de proteína. Desafortunadamente, en este campo, la lógica es diferente.

El consumo de 'mayor calidad' de proteína puede afectar nuestro crecimiento, de manera significativa. En la actualidad vemos que en los países desarrollados, en los que el consumo de proteína animal es cada vez más alto, hay niñas, entre diez y doce años, con senos desarrollados, que empiezan su menstruación a edades muy tempranas. Igualmente, vemos cada vez con mayor frecuencia que, en estos países, las señoras llegan a su periodo de menopausia a una edad más temprana. Todavía, hay algunos padres que están muy orgullosos de ver este desarrollo tan rápido en sus hijas, pero la triste realidad es que la menstruación, la menopausia y el desarrollo de senos que empiezan más temprano son factores que están íntimamente ligados con una mayor incidencia de cáncer en la población femenina. Es lógico que el mayor consumo de proteína animal crea más crecimiento y, a la vez, este mayor crecimiento repercute en una mayor incidencia de cáncer.

Este cuadro, de *El Estudio de China*, muestra cómo, entre más se consume grasa de fuentes animales, hay más prevalencia de cáncer de seno.

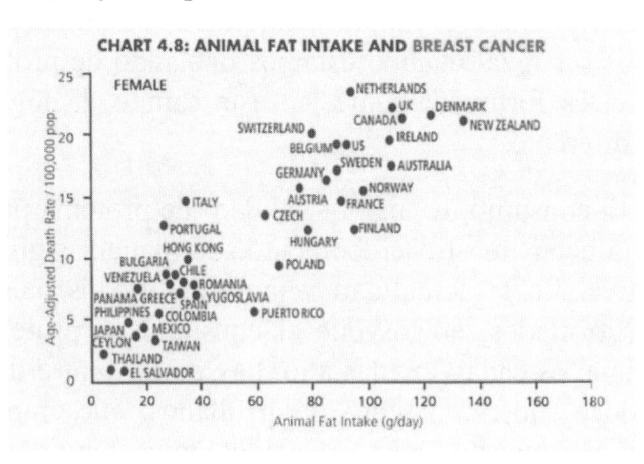


Para los hombres, la situación no es diferente. Varios estudios de cáncer de colon muestran que entre más proteína animal se consume, hay más prevalencia de esta enfermedad.

Obviamente, existen muchos otros cancerígenos que también están relacionados con el desarrollo del cáncer. No podemos evitar mencionar el cigarrillo. Sin embargo, los gobiernos siguen permitiendo su venta y promoción. Y, a pesar de que le ponen más impuestos y restricciones, en cuanto a su mercadeo, cada vez vemos que el consumo es mayor.

Hago tanto énfasis en el tema de la proteína animal, porque, a diferencia del cigarrillo, posiblemente, muchas personas no conocían la estrecha relación entre su consumo y el desarrollo del cáncer. El doctor Collin Campbell investigó en detalle dicha relación y, en sus estudios, basados en animales, observó que, incluso, aquellos que estuvieron expuestos a químicos cancerígenos, al evitar la proteína animal podían parar el proceso de crecimiento del cáncer. "Era como prender y apagar una luz", al consumir proteína de origen animal, se prendía el *switch* del cáncer, de inmediato.

Por otra parte, es posible obtener muchos beneficios al llevar una dieta vegetariana, y muchas personas gozan de estos beneficios en todo el mundo. Hay quienes se convierten en vegetarianos, porque están a favor de los derechos fundamentales de los animales, otros, lo hacen porque están preocupados por las consecuencias que una dieta carnívora puede tener para el medio ambiente. Sin embargo, la mayoría de la gente que decide volverse vegetariana, lo hace por su salud personal, pues la carne puede tener efectos dañinos para el organismo, ya que incrementa el nivel de colesterol y hace que el proceso digestivo sea más difícil. Las culturas antiguas, como en la India, consideraban que una dieta vegetariana mantenía en niveles adecuados el *prana* o la energía vital del cuerpo.

Una de las concepciones más prejuiciadas, sobre el vegetariano, es que no consume suficientes proteínas, pero lo que no se dice es que, consumiendo una variedad de frutas, vegetales, granos y legumbres se suple esta necesidad. Lo que el vegetariano no consume es el exceso de proteína que ingiere el occidental promedio. El exceso de proteína produce sobrecarga en los riñones y deficiencias minerales en el cuerpo.

Se dice también que los vegetarianos sufren de desnutrición y de carencia de minerales, pero se puede ver que esto no es verdad en el caso del calcio, mineral por el que, usualmente, se nos aconseja consumir lácteos. Por su composición ácida, estos necesitan sacarles a los huesos minerales para que el PH del cuerpo se neutralice, causando un gran desgaste; esto no ocurre con los vegetales verdes, que tienen una buena fuente de calcio para el cuerpo, sin generar efectos secundarios. El famoso mito de los lácteos es al revés, el consumo de leche induce la osteoporosis y el degeneramiento de los huesos.

La dieta vegetariana es muy balanceada; tiene una buena proporción de los macronutrientes, es decir, los carbohidratos complejos, la proteína y la grasa. Las fuentes de comida vegetarianas proporcionan estos tres tipos de macronutrientes de manera completa y sana, que es lo que el cuerpo necesita para que tengamos una larga vida, sin dolor ni enfermedad. El vegetarianismo es en realidad la solución para lograr un bienestar espiritual, mental y físico.

## Sobrealimentación y ansiedad

En la vida todo es cuestión de acostumbrarse a las circunstancias que nos rodean. De igual manera, el estómago es un órgano al que toca acostumbrar a ciertos hábitos alimenticios, y a la frecuencia con la que ingerimos alimentos. Hemos hablado mucho de la relación entre el estrés, la ansiedad, la depresión, otras condiciones mentales y la sobrealimentación. Algunas de las principales causas de la sobrealimentación, son la falta de una correcta masticación de los alimentos, alimentación forzada en el periodo de la niñez, ansiedad, dieta alejada de los alimentos naturales, entre otras. Si entrenamos el estómago a comer una sola vez cada veinticuatro horas, el se acostumbrará; si lo hacemos comer cada cuarenta y ocho horas, de igual forma, lo hará, y, eventualmente, lo acostumbraremos a comer cada semana y podremos vivir una vida más larga, como decía *Elijah Muhammad.*

No es una exageración pensar esto, pues la medicina moderna está mostrando, con estudios cada vez más contundentes, que hay una gran correlación entre la cantidad de calorías que se comen y la longevidad de la persona. Indiscutiblemente, entre menos calorías, más vivimos. Esto es cada vez más claro, pues tenemos un estilo de vida muy sedentario y, también, comemos más calorías, además, calorías de las fuentes peores.

Algunas personas comen cada hora o cada par de horas, ignorando que el estómago, al igual que el cuerpo y cada órgano, necesita descanso. Solo debemos comer cuando, realmente, tengamos hambre, pero, lo que ocurre, es que nuestra relación con la comida se diferencia: comemos cuando experimentamos sentimientos de tristeza, rabia, melancolía, o ansiedad, y la comida ingerida bajo estas condiciones no es realmente alimento, se vuelve veneno en el organismo. Por eso, solo debemos comer con alegría, agradecimiento y cuando lo necesitemos, para que esa comida sea un alimento verdadero. Cita un dicho que la persona que es esclava de su estómago, rara vez piensa en Dios; y otro, que la manera óptima de comer mucho, es comer poco, para, así, vivir una larga vida y comer mucho.

La sobrealimentación es un problema tan grave como el alcoholismo, desde un punto de vista físico, mental y espiritual. Recordemos que el antiguo testamento dice que las personas glotonas eran una carga innecesaria y peligrosa para la sociedad, pues su apetito insaciable solo le traería más problemas a la misma. Desde los orígenes de la humanidad, los periodos de ayuno son concebidos como momentos en los que se busca un mayor acercamiento a Dios.

Cuando sienta que quiere comer algo, deténgase a pensar y considere si realmente lo necesita. No lo haga solo porque es gratuito o porque sabe bien. En la transición a una mejor dieta, reducir el tamaño de las porciones es una de las tareas más difíciles. La dieta que promueve el menor ritmo de crecimiento corporal y desarrollo, es la mejor dieta. La dieta que acelera el proceso de maduración del cuerpo, da como resultado adultos que viven menos.

La sobrealimentación afecta la imagen personal y produce ansiedad. Nuestra imagen personal es muy importante y se desarrolla desde que estamos en el vientre de nuestras madres. Una imagen negativa de uno mismo crea ansiedad, una sensación difícil de manejar, pues es un sentimiento de baja estima personal. Al sentirla, intentamos desarrollar hábitos para reducirla. Así mismo, si se baja la actividad mental, se reduce la ansiedad. Cuando comemos, la energía del cuerpo va al proceso digestivo; así, bajamos la energía mental y, por ende, el nivel de ansiedad. Por eso, cuando bebés, nuestras madres nos daban alimentos si llorábamos o estábamos ansiosos. Cuando crecemos, tratamos de duplicar ese sentimiento con la sobrealimentación, pues la comida puede aliviar la ansiedad.

No importa si tuvimos una niñez muy complicada, siempre se puede cambiar. Lo que ocurre es que tenemos que generar hábitos que alivien el estrés y la ansiedad. Si no podemos aliviarlos, terminaremos acabando nuestro cuerpo y nuestra mente. Hay varias actividades como la meditación, la lectura de temas positivos y el deporte que nos pueden ayudar a determinar cuál es la verdadera causa de este problema y, de esa manera, acabar con ese pernicioso círculo vicioso.

El estrés también es un gran enemigo y puede acabar con nuestra salud. La constante creación de pensamientos negativos tiene un efecto muy dañino sobre nuestra mente y nuestra fisiología. Por eso, debemos escuchar a nuestro cuerpo. Si estamos cansados, debemos descansar, si estamos estresados, debemos parar y respirar o meditar. No debemos estar sometidos a sentimientos o condiciones negativas. Lo mejor es expresar nuestras emociones, si nos sentimos tristes, ansiosos, solos, etc., debemos compartirlo con un amigo o familiar. La vida es una y debemos hacerla placentera.

El descontrol en la alimentación es causa de la toxicidad y la ansiedad. Cuando retiramos comida que nos intoxica o pensamientos negativos que nos envenenan, experimentamos, al igual que un drogadicto, síntomas de estar alejados de nuestra substancia adictiva. Y la solución para esta especie de síndrome de abstinencia no es comer, sino lo contrario, el ayuno. Muchas de las personas más creativas y contentas son personas que comen menores cantidades de alimentos. Son personas que encuentran más paz y placer con estimulación diferente a la que ofrece la comida, eso es lo que hay que buscar.

## Lo que ocurre en el presente y una mirada hacia el futuro

Antes de la Segunda Guerra Mundial, la agricultura y el bienestar de nuestro medio ambiente, en general, eran mejores de lo que son hoy en día. Al no usar fertilizantes químicos, pesticidas y fungicidas sintéticos en la agricultura, los alimentos poseían un mayor valor nutricional natural. Tal vez los alimentos no tenían el mismo tamaño ni la misma forma, ya que esa no es la intención que la naturaleza tiene para ellos, pues, al igual que nosotros los humanos, no son todos iguales. Al usar fertilizantes podemos lograr que los alimentos se vean todos perfectos, pero eso implica sacrificar su valor nutricional natural: si los alimentos no tienen tóxicos, en últimas, van a resultar más nutritivos y, eso, es fundamental para prevenir o curar la enfermedad.

El doctor *Gerson* decía muy acertadamente que la tierra es nuestro metabolismo externo. El concepto es muy sencillo de entender: la tierra nutre los alimentos que comemos, y esos alimentos nos nutren a nosotros. Por lo tanto, si no cuidamos esa tierra, si no nos aseguramos de que descanse cuando necesita descansar, de que reciba los nutrientes cuando los necesita, entonces, es lógico que los alimentos que se nutren de esa tierra tampoco sean bondadosos con nosotros.

Por esta razón, la terapia *Gerson*, por ejemplo, toma hoy en día más tiempo en restablecer el funcionamiento normal del cuerpo, que hace cincuenta años. Podemos ver que los textos más antiguos y sagrados de la humanidad planteaban la necesidad de descanso. Por ejemplo, *La Torah* entregada a Moisés por Dios en el Monte Sinaí, ordenaba que era necesario dejar descansar la tierra en el séptimo año. Es el mismo concepto que gobierna el mundo desde su creación. Dios creó el mundo en siete días y descansó en el séptimo. La tierra necesita también su descanso. Desafortunadamente, el sistema económico en el que vivimos no reconoce estos principios. Solo se busca generar la mayor cantidad de recompensa monetaria inmediata, pero no entendemos el concepto de que "…no heredamos la tierra que trabajamos, la recibimos prestada de las próximas generaciones".

La agricultura orgánica busca asimilar de la mejor manera posible el proceso natural de la selva, en la que crecen alimentos y vegetación de una manera natural. Ahí, en ese medio, conviven animales, plantas, frutos y muchos tipos de árboles. En este medio no vemos monocultivos ni solo un tipo de planta, vemos una gran variedad, porque la naturaleza funciona de esa manera. Lo que las raíces de un árbol le aportan al suelo, le puede servir de alimento a otro tipo de árbol y, así, sucesivamente.

Por esto, la agricultura orgánica reconoce que es necesario crear una finca en la que convivan diferentes tipos de cultivos, que existan diferentes árboles y plantas que agreguen valor al medio donde se está cultivando comida. Por ejemplo, un tipo de planta puede servir de comida para los insectos que, en ausencia de ella, se comerían los alimentos; de algo se tienen que alimentar. La respuesta común de nuestra cultura a esto no es sana. Al envenenar nuestros alimentos con pesticidas, para que los insectos no se los coman, también, nos envenenamos a nosotros mismos, a la tierra, y rompemos el proceso de la naturaleza.

La verdadera finca orgánica debe estar localizada fuera de la ciudad, para que la polución de la vida moderna no la afecte tanto. Esta finca debe usar agua limpia y no aguas llenas de desechos industriales. Es importante que las personas que estén interesadas visiten las fincas y se aseguren de que estén cumpliendo con estas condiciones, que respeten los verdaderos valores de la agricultura orgánica. Comprar estos alimentos en el supermercado, desafortunadamente, no garantiza que estemos comiendo algo bueno. Los certificadores no necesariamente son personas que vivan bajo los principios de una vida sin violencia hacia la naturaleza, por eso, pueden ignorar principios y certificar fincas no tan favorables en sus prácticas, a pesar de lo importante que es esto para los que, verdaderamente, estamos buscando alimentos nutritivos.

Lo ideal sería que las comunidades se unieran y crearan estas fincas para cultivar su comida, como hacían nuestros antepasados. Infortunadamente, hoy dependemos para todo de una industria que no necesariamente busca nuestra salud.

Para ver esto, podemos estudiar el caso de la industria de los alimentos en los Estados Unidos. Veo que muchos países del mundo están imitando este sistema, que puede ser muy eficiente para crear trillones de calorías al día de una manera muy barata, pero con un costo secreto muy alto, que se refleja en el hecho de que Estados Unidos gasta más de 2.5 trillones de dólares al año en su terrible sistema de salud (más de un 20% de su Producto Interno Bruto). Las dos cosas están íntimamente relacionadas, pues esa comida que se consume no es natural. El sistema produce mucha comida muy barata, pero se gasta uno de cada cinco dólares de su economía en salud, una cifra astronómica. Como dijo el célebre cardiólogo Caldwell Esselsteyn: "Los hospitales no son sitios donde se enseñe o se promueva la verdadera salud, sino que son catedrales de enfermedad''. ¿Por qué la gente está tan enferma? Porque no hay un cambio de hábitos. Estamos dependiendo de un sistema que solo busca tratar síntomas cuando se presentan, pero no de promover la salud y la prevención de la enfermedad. Esta es la verdadera y única salud que funciona.

Estados Unidos es un país que depende del maíz para alimentar a su gente. Muchos dirán que eso no es así, que uno se puede comer una deliciosa hamburguesa, tomar una gaseosa y comerse unas papas francesas, y eso no contiene maíz. Pero la realidad es que la carne de la hamburguesa fue alimentada con maíz, ya que, como es tan costoso darle pasto al ganado para suplir la grotesca cantidad de proteína animal que requiere la población, fue necesario encontrar una alternativa. Aun así, en los Estados Unidos se matan veinticuatro millones de animales al día para comer. Un millón cada hora.

Una vaca requiere mucho pasto para satisfacer sus necesidades alimentarias. Esas plantaciones ocupan un área enorme y es necesario rotar a las vacas de pradera a diario, lo que implica mucho trabajo y es costoso. Por esto, se crearon ciudades en el Medio Oeste de Estados Unidos, donde se llevan estas vacas y se les da su alimento. ¿Qué es este alimento? No es nada más que maíz y soya que se originan de semillas transgénicamente modificadas en el cinturón de maíz del medio oeste americano, y se llevan a estas ciudades, donde viven estas vacas, en una especie de cárceles en las que casi no se pueden mover. Ahí, consumen este maíz y engordan muy rápido. Incluso, a este maíz, se le mezcla proteína animal de otras vacas que murieron, para engordar a las otras más rápidamente.

Así fue como empezó la famosa enfermedad de la "Vaca loca", que no es nada más que el Alzheimer de las vacas. El Alzheimer en los seres humanos, también, es causado por el alto consumo de proteína animal, y afecta el funcionamiento de nuestro cerebro y sistema nervioso.

Las personas encargadas de manejar estas 'ciudades de vacas' se empezaron a dar cuenta de que estas se estaban enfermando mucho. Especialmente, de enfermedades del intestino; con una dieta a base de granos, no se podía esperar otro resultado. Las vacas son mamíferos, 100% herbívoras. No comen ni granos, ni tampoco carne de otras vacas u otros animales. ¿De dónde sacamos esta idea los humanos? Por la sencilla razón que requerimos proporcionar más y más carne a una sociedad que necesita carne al desayuno, al almuerzo y a la cena, en cantidades ridículas, para suplir una dieta terrible, que cada vez nos enferma más.

Países como Argentina y Brasil están exportando cantidades muy importantes de granos a China y otros países asiáticos que, tradicionalmente, no eran tan carnívoros pero que, al integrarse al mundo capitalista, están adoptando también nuestra mala dieta. Los dirigentes de países como Brasil y Argentina les pueden vender a sus pueblos la idea falsa que estas exportaciones son buenas, pues alimentan los ingresos de moneda dura de sus economías y generan empleos. La realidad es que esta desmedida agricultura, para alimentar los paladares de los nuevos consumidores de carne en Asia, está acabando con las selvas del Amazonas y la fauna de la pampa argentina. Cada vez se tumban más árboles y se destruyen más ecosistemas para darle paso a estos cultivos que, además, requieren de mucha agua, la que suplen los importantes caudales de los ríos de cada región. Si acabamos con la vegetación y la fauna, eventualmente, estamos también acabando con el agua y las selvas se van a secar. En conclusión, estos países no exportan granos, lo que hacen es acabar su riqueza natural y su agua, convirtiéndose esto, a largo plazo, en algo más costoso que el mismo crudo u oro negro.

Esto demuestra que tenemos que usar nuestra cabeza e iluminar nuestro intelecto, para hacer lo que es correcto y poder dejar un mejor mundo a las futuras generaciones. Es nuestra responsabilidad. Si consumimos carne animal no estamos contribuyendo a un mejor planeta. Así no creamos el 'cuento' que la proteína animal es un fertilizante para el cáncer, como dice el doctor Campbell en su libro *China Study*, al menos, habría que tener en mente el daño que se hace al medio ambiente.

Producir un kilo de carne, consume una inmensa cantidad de agua y de recursos. Según un estudio de la Universidad de Vermont, un kilo de carne requiere de por lo menos diez o más veces la cantidad de agua, que un kilo de granos u hortalizas. También, he leído en varias partes que si todo el planeta, con sus casi siete mil millones de habitantes, consumiera la misma cantidad de carne per cápita que se consume en Estados Unidos, el planeta no sería capaz de producirla.

Si los gobiernos estuvieran realmente comprometidos en reducir las enfermedades degenerativas en la población, y en preservar la salud de sus pueblos, estarían habilitando más y más hectáreas de cultivos orgánicos, para darle a la población. Existe un sistema que no permite buscar ese método, para solucionar nuestro tremendo problema de salud.

En Occidente, estamos acostumbrados a que alguien nos dé un remedio para todo. No creemos en nosotros mismos, pues esta cultura no nos enseña a creer en nuestro poder mental y espiritual para superar cualquier tipo de problema. Entonces, creemos que los médicos saben todo y lo que dicen es lo que hay que hacer. La manera única de cambiar y mejorar nuestra salud, es empezar por creer que hay una manera de hacerlo. Esa manera es respetando los ciclos de la naturaleza.

Según el reconocido locutor de radio Gary Null, "…la medicina moderna mata a más gente en los Estados Unidos, que cualquier enfermedad". La sobremedicación de las personas, los exámenes invasivos no necesarios, las cirugías, etc., presentan la mayor amenaza para la población. Aunque lo cierto es que la población no está haciendo nada para no caer en esta red.

El mundo del futuro no parece ser mejor; cada vez, consumimos más comidas procesadas, enlatadas, embutidas, más azúcar refinada, más proteína animal. El resultado no puede ser otro que el crecimiento de las tazas de enfermedad; que cada vez haya más gente obesa, con cáncer y problemas de corazón. Me gustaría pensar diferente, y mi trabajo es evitar que esto sea así, pero la realidad es que mucha gente no está interesada en hacer el cambio. Los que sí lo estamos, debemos multiplicar nuestros esfuerzos; la salud del planeta es nuestra salud.

## La situación del cáncer en Colombia

*Las cifras son verdaderamente alarmantes, se diagnostican más de 75.000 cánceres anualmente. ¿Quién sabe cuántos dejarán de diagnosticarse? ¿Qué podemos hacer para detener esta epidemia? La respuesta consiste en modificar hábitos en la dieta y estilo de vida.*

La Cadena Radial Colombiana, Colmundo, me invitó a participar en un programa especial sobre el cáncer. En este programa, también, participaron los médicos colombianos Carlos Vicente Rada, director del Instituto Cancerológico Nacional, y el doctor Poso, director científico de la Liga Contra el Cáncer, seccional Bogotá. Tengo que decir que quedé altamente sorprendido por la buena información que maneja y expone el doctor Poso, de la Liga Contra el Cáncer. En los años que llevo estudiando el tema del cáncer, nunca había escuchado a un doctor alopático reconociendo que el 60 o 70% de los cánceres podrían ser evitados con una mejor alimentación y un estilo de vida que incluyera una dieta rica en vegetales y frutas. Y, además de eso, reconociendo que solo un 2% de los cánceres son producto de una condición genética. Yo conocía esta información por el trabajo de expertos como el doctor T. Collin Campbell, pero nunca había escuchado a un médico alopático hablando con tanta claridad al respecto.

El doctor Poso dijo también que las cifras de cáncer que manejan las instituciones participantes en el programa, eran las siguientes: 75.000 nuevos diagnósticos de cáncer al año en Colombia, y 40.000 muertes atribuidas al cáncer, anualmente. Los cánceres más comunes en las mujeres son el de cuello uterino (7.500 nuevos casos y 3.300 muertes al año por esta patología) y el de seno (5.500 nuevos casos y 2.300 muertes al año). En los hombres, los de pulmón y estómago. Se reconoce al tabaco como el principal factor que se debe evitar para no desarrollar el cáncer.

Imagínense cuántos cánceres se dejan de diagnosticar en Colombia. Puede que otros 75.000, anualmente, o más. La realidad es que nadie sabe. Y como confirmó el doctor Poso, patologías como el cáncer de seno están cada vez más presentes porque están ligadas al mayor 'desarrollo'. En la vida más 'desarrollada', en la que vivimos, hay un mayor consumo de lácteos, carnes, y grasas, además de una mayor exposición a cancerígenos. En su magistral trabajo, el Dr. Campbell muestra cómo hay una mayor prevalencia de cáncer a medida que sube el consumo de grasas.

También, se trató el tema de la famosa vacuna Gardasil, para evitar el cáncer de cuello uterino, y se mencionó que es una verdadera esperanza. La realidad es que, aunque se cree que hay una conexión entre el desarrollo de este cáncer y la existencia de algunas de las mutaciones del virus de papiloma humano (pues son muchas), nadie está seguro de que esta vacuna sea la solución. Lo que sí es seguro, es que es costosa y sus efectos secundarios son desconocidos. Además, se dice que solo sirve si la persona no ha sido expuesta al virus. La incidencia del virus en la población es muy alta y es posible que el sistema inmunológico sea capaz de combatir la enfermedad, en muchos de los casos, pero la verdadera manera de prevenir el contagio es la vida célibe o con una sola pareja, pues el virus se pasa por vía sexual, incluso, con el uso del condón.

Una señora fue tratada alopáticamente contra el cáncer de seno. Su tratamiento costo más de trescientos millones de pesos. Si tratáramos de esta manera todos los pacientes de cáncer en Colombia, nos gastaríamos más del 8% del PIB en tratamientos, anualmente. Y estos, como ya sabemos, son poco o nada efectivos a la hora de curar la enfermedad. Por eso, la verdadera lucha no es la detección temprana ni el uso de vacunas peligrosas, sino la prevención con buena alimentación y buenos hábitos de vida. Los médicos reconocen que los malos hábitos alimenticios son la principal causa de cáncer, por esa precisa razón, los tratamientos orientados a personas que tienen cáncer, deberían de la misma manera investigar la ventajas de cambiar a una dieta sana.

## Escucha a tu cuerpo

Es realmente importante para cualquier persona que esté interesada en hacer un cambio profundo en su vida, aprender a escuchar su cuerpo. Este le dará la guía de las comidas que le caen bien y de las que le caen mal. Por ejemplo, muchos saben que cuando consumen carnes, nueces, u otras comidas grasosas en grandes cantidades, sienten un sentimiento de pesadez. Lo que pasa es que los humanos tenemos que entender que todo lo que comemos, lo debemos que digerir. Ese proceso de digestión es bastante complejo y, por lo tanto, la mezcla de lo que nos comemos afecta nuestro estado de ánimo, nuestro nivel de energía y, en general, nuestra disposición a ser o no productivos.

En mi experiencia, me he dado cuenta de que la dieta que mejora mi nivel de energía es la dieta 100% vegana; una dieta de una dosis alta de vegetales orgánicos, en su mayoría en forma de jugo. La idea de los jugos es que se logra consumir una gran cantidad de vitaminas, minerales y enzimas que no se podrían consumir en forma sólida, pues la persona se llenaría demasiado. Estos jugos no le exigen al cuerpo utilizar su energía en la digestión, por lo que llevan al torrente sanguíneo una gran cantidad de nutrientes que, inmediatamente, suplen todo el cuerpo.

El pionero del uso de los jugos es el gran inventor y médico Norman Walker, que nació a finales del siglo XIX y murió en 1984, a los 99 años. Walker era un hombre de negocios e investigador en el área de jugos de vegetales. Promovió durante toda su vida el consumo de jugos crudos de vegetales y frutas, para mantener o recuperar la salud. Walker escribió varios libros sobre nutrición y vida sana.

Gracias al trabajo de este y otros grandes pioneros, hoy en día, no hay ninguna terapia nutricional que no incluya los famosos jugos de vegetales. Hay terapias, como la famosa terapia *Gerson*, que incluyen trece jugos al día. Otras usan menos, pero todas reconocen la importancia de los mismos.

He escuchado sobre gente que ha hecho ayunos con jugos por más de treinta días, y aseguran que, después de este tiempo, tienen todavía excremento sólido saliendo del cuerpo; la cantidad de excremento que guardamos en el cuerpo es realmente impresionante, y sorprendería a cualquiera.

En su famoso libro *Salud del colon. La guía para una vida vibrante*, el doctor Walker asegura que puedes retomar la vitalidad de tu juventud, si mantienes tu colon limpio. Con los tipos de dieta de la cultura occidental, es muy difícil encontrar personas que tengan un colon que esté saludable.

## Prevenir y reversar enfermedades del corazón

Cada año, millones de personas en todo el mundo sufren de enfermedades del corazón. Los males más comunes son angina de pecho, arritmia, infarto de miocardio, o ataque de corazón, taquicardia, enfermedades coronarias e insuficiencia cardiaca, entre otras.

He investigado mucho sobre este tema, y he descubierto que, en los países donde se consume una dieta vegana, la incidencia de estos problemas es muy baja. Incluso, investigadores de la talla del cirujano Caldwell Esselstyn, que trabajó en la Cleveland Clinic por muchas décadas, concluyen que es imposible sufrir de estos males, si se mantiene un colesterol total por debajo de los 150 mg/dl. Asimismo, el doctor Colin Campbell investigó a varias sociedades rurales en la China, durante la década del setenta, y notó que en poblaciones donde no se consumía proteína animal, no había incidencia de infartos en personas menores a los 65 años.

El doctor Esselstyn, en su libro *Preventing and Reverting Heart Disease*, muestra cómo, al variar la dieta, cambió el curso de la enfermedad en pacientes que ya habían tenido problemas serios del corazón. El recomienda una dieta muy estricta:

-Nada que tenga una cara o una madre, es decir nada de origen animal.
-Nada de lácteos
-Nada de grasas, ni siquiera de origen vegetal y extra vírgenes; no se permite ni siquiera aguacate
-Nada de granos refinados, como arroz blanco, tortas, etc.
-Nueces, la gente con problemas del corazón las debe evitar.

Qué se puede comer:

-Vegetales
-Legumbres
-Granos enteros, como arroz integral
-Frutas

Esta dieta es muy similar a la dieta *Gerson*, y si te blinda contra los problemas del corazón, ¿por qué no seguirla?

# La obesidad

No es ningún secreto que la obesidad será uno de los problemas de salud pública más importantes del siglo XXI. Las cifras son escalofriantes en cualquier país desarrollado que miremos, incluso, en los países subdesarrollados. Al tener un estilo de vida cada vez más sedentario, una dieta rica en grasas y alimentos que carecen de un valor nutritivo apropiado, no es una sorpresa que esta enfermedad patológica siga cobrando muchas vidas. Y es que la obesidad es la madre de muchas enfermedades. De ella, se originan muchos cánceres, problemas de corazón, diabetes, artritis, etc.

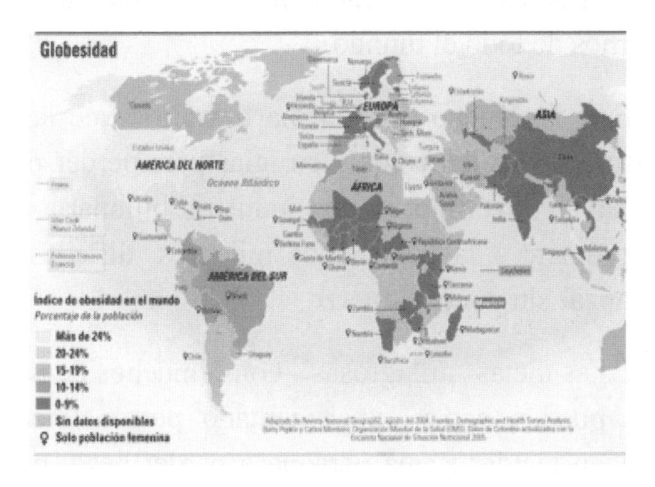

Si miramos este cuadro interesante, que muestra los índices de obesidad en todo el planeta, vemos que los más altos están en Norteamérica y la antigua Unión Soviética, donde la enfermedad afecta a más del 25% de la población. La obesidad se determina cuando el índice de masa corporal medido por el peso en (kg)/la altura en (m2) supera los 30 kg/m2. Si estuviéramos mirando los índices de sobrepeso, que se diagnostica cuando una persona tiene un índice de masa corporal entre 25 kg/m2 y 30 kg/m2, el porcentaje sería mucho más alto, pues mucha gente supera estos índices. La realidad es que el sedentarismo y los hábitos alimenticios son responsables de este fenómeno que asusta a los gobiernos de todo el mundo.

Este fenómeno también ha llevado a que la industria de suplementos y cirugías para perder peso se haya convertido en una industria billonaria que le promete a la gente unos milagros, difíciles de alcanzar sin poner esfuerzo.

Estas dietas 'milagrosas', como muchos de ustedes pueden haber experimentado personalmente, pueden ayudar a una persona a perder peso, pero, por lo general, son poco efectivas en el plazo largo.

En estas dietas muchas veces se obliga a las personas a comer una cantidad muy limitada de calorías. Cuando termina la dieta, su cuerpo carece de alimentos y termina engordando más de lo que perdió en la dieta. Además, todo proceso de perder peso debe ser acompañado por uno de ejercicio y relajación. Yo recomiendo mucho el yoga, pues la ansiedad y el estrés son grandes responsables del crecimiento en los índices de obesidad.

Solo con un cambio disciplinado y a largo plazo se pueden lograr resultados verdaderamente duraderos. Algunas de las dietas más famosas de los últimos tiempos son la de Atkins, Cero Grasa, Cero carbohidratos, entre otras. Todas han tenido su auge pero, siempre, son derrotadas por la dieta de moda. Sin embargo, la dieta que nunca pasará de moda, para mantener el peso ideal, es la dieta 100% vegana, con alimentos naturales sin refinar ni procesar. Una dieta como esta no requiere que la persona esté contando calorías ni haciendo esfuerzos difíciles para mantener su figura.

*Adictos al azúcar*

Otra de las grandes epidemias de la actualidad es la diabetes. No es ningún secreto que la adicción al azúcar ha penetrado todas las esferas de la sociedad. Los niños no pueden consumir ahora un cereal que no esté lleno de azúcar, pues les sabe feo. La misma leche tiene azúcar adicional. Vemos en cada esquina un vendedor de dulces y galletería; si miramos la cantidad de azúcar que tiene cada paquete que comemos, quedaríamos sorprendidos. El azúcar vende mucho, pues genera un sentimiento de necesidad en las personas. No más veamos el consumo de gaseosas para entender cómo estamos de adictos al polvo blanco; la azúcar refinada es una substancia altamente adictiva, que hace daño a las personas.

La composición química de la azúcar refinada es una mezcla dañina que produce cambios en el cerebro de la persona y causa lesiones que, a largo plazo, tienen implicaciones grandes sobre el sistema nervioso del ser humano. Es más, crea adicciones posteriores al alcohol, que contiene una gran concentración de azúcar. Por eso, los efectos para la sociedad son graves.

Los endulzantes sintéticos como Sabro, Splenda y Nutra Sweet son peores; causan efectos desequilibrantes en el sistema nervioso.

Se debe endulzar con agave, miel orgánica sin refinar, o panela orgánica.
Según la Federación Diabetológica Colombiana (FDC):

- 7-10% de la población adulta del país (1.5 millones de personas) padecen de diabetes.
- 30-50% de las personas que padecen de la enfermedad no lo saben.
- Es prevenible con cambios en el estilo de vida y con la educación de la población.
- En las palabras de Álvaro Fortich, Presidente de la FDC: "El estilo de vida actual es preocupante. Las personas trabajan todo el día, no hacen ejercicio y comen alimentos ricos en grasas saturadas y azucares refinados, factores que llevan a la obesidad y que las predisponen a la aparición de la diabetes".
- La diabetes se desarrolla cada día en personas más jóvenes. La incidencia de diabetes Tipo I es cada vez mayor, aunque, el 95% de los casos son de diabetes Tipo II.

## Recomendaciones

- Tomar un baño de agua fría.
- Meditar.
- Tomarse en la mañana dos jugos verdes de cualquier mezcla de vegetales (medio litro hecho con extractor).
- Almorzar bien.
- Comer vegetariano.
- No comer nada procesado, enlatado, refinado.
- Comer comidas naturales, especialmente, frutas y verduras.
- Nueces crudas, solamente, y limitar su consumo a dos manotadas por semana.
- Dejar toda la proteína animal: carne, pollo, pescado, huevos y lácteos.
- Hacer al día una hora de ejercicio aeróbico.
- Usar diariamente sauna o baño turco.
- Dormir en un cuarto sin frecuencias electromagnéticas (TV, computadores, radios, etc.) que interfieran con el sueño.
- Acostarse a las diez de la noche todos los días y levantarse a las seis de la mañana.

- Hacer estiramiento diario para mantener la flexibilidad de las articulaciones y músculos.
- No comer nada tres horas antes de acostarse a dormir.
- Buscar cada vez un mayor porcentaje de comidas vegetarianas crudas en la dieta, ya que estas tienen más enzimas y valor nutricional que las comidas cocinadas.
- No comer sal, los alimentos ya contienen suficiente sodio.
- No comer azúcar refinada o alimentos que tengan este ingrediente.
- No comer harinas refinadas (ej. Arroz blanco, pasta blanca); substituirlas por harinas integrales, como arroz integral.
- Evitar el estrés, hacer actividades que tranquilicen.
- Buscar relaciones sanas con amigos y en familia.
- Enfocarse en hacer tareas productivas.
- Buscar sentido, por medio de la religión u otras creencias.
- No comer en cantidades excesivas.
- *LO MÁS IMPORTANTE ES SER POSITIVO.*

## Yoga

El yoga es realmente una de las filosofías y prácticas que más nos puede ayudar, hoy en día, a volver a nuestras raíces. Es una disciplina excelente que cubre muchos campos. Como principio, el yoga practica la no violencia, por lo que puede decirse que guarda una buena relación con ser vegetariano. Claro, hay mucha gente que hace *asanas*, que son las diferentes posiciones del yoga, pero, no por gozar de una gran flexibilidad, necesariamente, están practicando el yoga fidedigno que exige ser vegetariano, no apostar en juegos de azar, no tener sexo ilícito y no beber trago ni consumir drogas. Yoga, en sí, quiere decir unión, la unión entre cada persona y el universo. El *yogui* experimentado entiende que la muerte no existe, que nuestra alma es eterna y, por lo tanto, no tiene miedo de la muerte; está preparado para afrontarla, porque no se encuentra apegado a nada de este mundo material. No está sujeto ni al dinero, ni al placer, ni a las cosas mundanas.

Hay muchos tipos de yoga; el más elevado es el *bhakti* yoga, o yoga de servicio. Este se logra cuando el *yogui* ya está totalmente dedicado a servir a los demás, practicando un absoluto respeto por las leyes universales.

Pero el yoga empieza por el lavado del cuerpo. Eso incluye dejar de comer carne, pues el sistema digestivo, que alberga una gran parte del sistema inmunológico, debe estar limpio. Además, hay lavados intestinales, nasales y otros que debe practicar el yogui para lograr que la energía vital o *prana* se despliegue libremente por el cuerpo y los *chakras* o centros energéticos. Dentro de estos lavados, uno de los más importantes es el *neti*, que consiste en usar una jarrita (*lota*) para pasar agua a través de los orificios nasales. Esto despierta la capacidad de poder respirar mejor y, por lo tanto, incrementa la energía del cuerpo; asimismo, de estimular el *chakra* que hay en el interior de los ojos, conocido también como el *tercer ojo*. Adicionalmente, este tratamiento ayuda a remover de los orificios nasales el exceso de mucosidad que se presenta constantemente, debido a que el cuerpo produce estos desechos a diario.

*Lota*

Además del anterior, está el *Sutra neti*, o la cuerda, que, también, se introduce por la nariz y se saca por la boca para contribuir al trabajo del *jala neti* descrito arriba. Este lavado es fundamental para el *yogui* que quiere avanzar en la ciencia del yoga. Para muchas personas, este lavado es extraño y algunos se atreverían a decir que hasta peligroso, porque es desconocido en Occidente. La realidad es que es igual de importante a lavarse los dientes. Se puede hacer diariamente, aunque muchos *yoguis*, que llevan tiempo haciéndolo, lo hacen solo una vez por semana.

Las *asanas* son fundamentales para el yoga; ayudan a que se mueva la *prana* o energía vital por el cuerpo, coadyuvan a la flexibilidad del cuerpo y, además, a controlar y regular muchas de las actividades hormonales que tienen que ver con el sistema nervioso. Por ejemplo, la reconocida parada de cabeza, que es considerada la *madre asana*, es muy importante para mantener un sistema nervioso sano. Así, cada *asana* cumple un propósito. Durante los dos años que he tenido la fortuna de contar con la instrucción del maestro *Haridam*, he podido aprender la serie básica de *asanas* que verdaderamente me relajan mucho cuando las practico. Por supuesto, este no es un libro de yoga y, por lo tanto, solo mostraré algunas de las *asanas* básicas, y diré sus beneficios. Aunque debemos recordar que el beneficio es para todo el cuerpo, la mente, y el alma, hay *asanas* que se reconocen particularmente por ayudar a cierta función del cuerpo.

## ALGUNAS ASANAS BASICAS

***Fotos de Discoveryyoga**

Voy a dar un ejemplo de lo que representa física y mentalmente una *asana*, pero si quiere información más precisa acerca del yoga, hay libros especializados en las librerías, que pueden ser muy útiles para el alumno interesado. La *torción* es una *asana* que permite estirar simultáneamente los músculos de un lado de la espalda y el abdomen, mientras contrae los músculos del otro lado. Además, tonifica los nervios de la columna; alivia los espasmos musculares; masajea los órganos abdominales, aliviando problemas digestivos; regula la secreción de adrenalina y bilis y es recomendada en el tratamiento *yoguico* de la diabetes. Bajo instrucción especial, es utilizada para el manejo *yóguico* de la sinusitis, bronquitis, constipación, colitis, desórdenes menstruales y del sistema urinario.

Como pueden ver, una simple posición o *asana* puede ser muy importante para mejorar la salud de una persona. Es impresionante ver cómo una práctica tan antigua, como el yoga, sea tan poco estudiada y utilizada en occidente, donde preferimos no hacer el menor esfuerzo físico.

El yoga tiene muchas partes que forman un todo. También, están el *pranayama* y los *mudras*, que procederé a explicar ahora. Al conocimiento y control del *prana*, manifestado en un individuo, se le llama *pranayama*, y nos abre la puerta a poderes casi ilimitados. Siendo *pranayama* el control del *prana* (energía vital), todos los ejercicios que se aconsejan en *Hahta yoga* están encaminados al desarrollo personal armónico. Aquel que posee abundante energía *pránica* irradia una vitalidad y fortaleza que pueden sentir todos los que se encuentran a su alrededor. Muchos poderes físicos, de los *yoguis*, han sido adquiridos a través de la práctica de *pranayama*. El *yogui* realiza una serie de ejercicios, por los que obtiene el dominio de su cuerpo y lo habilita para enviar a cualquier órgano, o parte, una corriente de fuerza vital o *prana*, fortaleciéndolo y vigorizándolo.

El *mudra* es una postura de la mano y los dedos, que proviene de principios rituales de la dramaturgia y de la espiritualidad. Guarda una directa relación con la recitación de *mantras*, sonidos místicos. El sistema médico *ayurvédico* recomienda los *mudras* a título energético. Con ellos se armoniza la energía que pueda haber bloqueada en los *chakras*.

El *yoga nidra*, o relajación total, y la meditación, que forman también parte integral y muy importante del yoga, son realmente importantes para el desarrollo espiritual del individuo, pues nos ayudan a tranquilizar la mente y, por lo tanto, son técnicas excelentes para el estrés y ese ruido mental de preocupación que nos agobia.

Hacemos alusión a dos de las frases favoritas del maestro *Haridam*. “Para practicar yoga no se debe ni dormir mucho ni muy poco, ni comer mucho ni muy poco, ni trabajar mucho ni muy poco. Es un balance verdadero”. Otra de sus frases favoritas es “Vida sencilla y pensamiento elevado”.

## El ayuno, arma poderosa

*"Los humanos viven de un cuarto de lo que comen, su doctor, de los otros tres cuartos".*

Filosofía egipcia, 3.800 a.C.

El ayuno es la herramienta más poderosa que tiene el cuerpo para eliminar toxinas. La mayoría de personas comemos en exceso y no combinamos los alimentos correctamente, acumulando una inmensa cantidad de basura en el cuerpo. Además, estamos expuestos a muchas otras toxinas que hay en el medio ambiente de las grandes ciudades, como el humo de los cigarrillos, de los carros y buses; los insecticidas y fungicidas en la comida, entre otros.

El cuerpo tiene una capacidad limitada de eliminar la carga de toxinas. Cuando la eliminación empieza a interferir con el funcionamiento del cuerpo, esto se manifiesta con dolores y molestias que son signos claros del desorden que se causó.

Hay varias alertas que nos pueden indicar que estamos altamente intoxicados:

1. Dolores de cabeza, problemas para pensar claramente, dolores de estómago y, en general, en todo el cuerpo.

2. Constipación crónica, mareos, dificultades para concentrarse, mal genio incontrolable.

3. Excesivo cansancio; la persona requiere muchas horas de sueño. Entre más tóxico esté, más sueño requiere; entre más come, más sueño requiere. Las personas que están muy sanas pueden dormir entre 1 o 5 horas por noche. Pueden también substituir el sueño por meditación o relajación, mejorando la digestión y bajando grados de toxicidad.

4. Adicción a substancias como el café, el azúcar, cigarrillo, harina. Exceso de comida en general.

El ayuno es un gran descanso para el cuerpo; las fuerzas vitales que, normalmente, serían usadas para la actividad física y para la digestión, y asimilación de comida, quedan libres para limpieza y saneamiento.

Hay muchos tipos de ayunos. Ayunos de agua, ayunos de jugos, ayunos de frutas. Si le interesa investigar más, puede hacerlo en internet. Le recomiendo la página del doctor Scott, uno de los expertos más sobresalientes en el tema de ayunos terapéuticos: http://fasting.ms11.net/

Cualquiera que esté pensando en hacer un ayuno de agua, primero, debe mejorar su dieta comiendo comida orgánica vegetariana; las reacciones durante un ayuno pueden variar dependiendo de la persona, y pueden incluir dolores de cabeza, vómito, sueño, pérdida de peso, mal genio y debilidad. Son síntomas que muestran que la naturaleza está corrigiendo problemas de excesos.

Durante el ayuno, el cuerpo metaboliza muchos excesos que tenía acumulados y, de esta manera, su funcionamiento mejora realmente. El ayuno es uno de los métodos naturales más efectivos para reconstruir los poderes dinámicos del cuerpo y recuperarse de muchas enfermedades. Es mejor ayunar antes de que se presente la enfermedad. Un ayuno de dos o tres días, a la semana, debe ser parte de un régimen de salud. Lo que se pierde comiendo, se gana en salud. La práctica de ayunar mejorará su salud, incrementará su inclinación espiritual y resaltará su juventud y belleza.

## Reglas básicas para la combinación de las comidas

Siempre comer melones solos (incluye patilla). Los melones no combinan con ninguna otra comida. Ingiere todos los jugos solos.

Las frutas frescas deben ser comidas solas o con el estómago vacío. Es mejor combinar frutas de la misma categoría.

*Buenas combinaciones:*

Frutas ácidas con frutas subácidas.

Frutas subácidas con frutas dulces.

Harinas y vegetales con frutas verdes.

Vegetales y frutas verdes con proteínas.

*Excepciones:*

Limones y limas combinadas con harinas, vegetales, verdes, proteínas, y grasas.

Aguacates combinan con frutas subácidas.

Cohombro combina con grasas.

Tomates combinan con harinas, vegetales y verdes y grasas.

| FRUTAS Melones & Jugos (15 - 30 Min) | FRUTAS Acidas (1.5 - 2 Hrs) | FRUTAS Sub-Acidas (1 - 1.5 Hrs) | FRUTAS Dulces y Endulzantes (30 - 45 Min) |
|---|---|---|---|
| Melon | Manzana, Acida | Manzana | Nectar Agave |
| Patilla | Franbuesa | Cerezas | Bananos |
| Jugos | Toronja | Datiles | Fresas, Dulces |
| Jugo Wheatgrass | Uvas, Acidas | Mangos | Cerezas, Dulces |
| | Limones | Nectarinas | Uvas, Dulces |
| | Lima | Papaya | Miel, Cruda |
| | Naranja | Duraznos | Peras |
| | Pina | Peras | |
| | Ciruela, Acida | Tomates | |
| | Fresas | | |

| Harina (2 - 3 Hrs) | Vegetales & Verdes (2 – 2.5 Hrs) | Alto en Proteina (4+ Hrs) | Grasas (3 - 4 Hrs) |
|---|---|---|---|
| Aguacates | Alcachofa | Alga Azul-Verde | Aguacate |
| Frijoles | Esparragos | Fruta Seca | Aceite Coco |
| Arroz Integral | Remolacha | Legumbres | Aceite Linaza |
| Zanahoria | Brocoli | Nueces, Crudas | Aceite Oliva |
| Maiz | Algas | Aceitunas | Aceitunas |
| Granos, Germinados | Repollitas | Semillas, Crudas | Aceite Ajonjoli |
| Jicama | Repollo | | Aceite Girasol |
| Legumbres, Germinadas | Coliflor | | |
| Papa | Apio | | |
| Calabaza | Maiz, Crudo | | |
| Papa Dulce | Cohombro | | |
| | Berenjena | | |
| | Cebollar | | |
| | Lechugas | | |
| | Pimentones | | |
| | Rabanos | | |
| | Ahuyama | | |
| | Calabacion | | |

## Epílogo

Espero que mi experiencia con el cáncer pueda ser fuente de inspiración para muchas personas que quieren preservar o mejorar su salud, sea cual sea su meta o enfermedad. Es solo un humilde relato de lo que me tocó franquear para llegar al momento que vivo. Aunque hay siempre campo para mejorar, siento que voy en el camino correcto, pues entiendo que la alta toxicidad y el nivel de nerviosismo son las causas de todas las enfermedades, sean agudas o crónicas.

Vivimos enervados por el exceso de actividad, ruido, radiación, climas extremos, exceso de alimentación, excesos sexuales, vacunación, toxicidad y estrés. El tiempo que toma enfermarse depende de la constitución de cada persona, y de cuánta toxicidad y estrés genere su estilo de vida. Si desea estar saludable y contento, le recomiendo adoptar un estilo de vida natural, en un ambiente natural.

## Bibliografía

—Gerson, Max: *A Cancer Therapy*, Whittier Books, 1958.

—Swami, Satyananda Saraswati: *Asana Pranayama Mudra Bandha,* yoga Publication Trust, 1969.

—Collin Campbell, T., PHD, and Campell II, Thomas M.: *China Study*, BenBella Books, 2006.

—Esselstyn Jr., Caldwell B., MD: *Prevent and Reverse Heart Disease*, Avery, 2007.

— Kulvinskas, Viktoras: *Survival into the 21st. Century,* 21st. Century Publications, 1975.

—Gerson, Charlotte and Bishop, Beata: *Terapia Gerson: Cura del cáncer y otras enfermedades crónicas*, Editorial Alan Furmanski, 2009.